Dangereuses photos

Biographie

R. L. Stine est né en 1943 à Colombus aux États-Unis. À ses débuts, il écrit des livres interactifs et des livres d'humour. Puis il devient l'auteur préféré des adolescents avec ses livres à suspense. Il reçoit plus de 400 lettres par semaine ! Il faut dire que, pour les distraire, il n'hésite pas à écrire des histoires plus fantastiques les unes que les autres. R. L. Stine habite New York avec son épouse Jane.

R.L. Stine

Chair de poule®

Dangereuses photos

Traduit de l'américain
par Daniel Albert-Kouraguine

Vingt-cinquième édition

bayard jeunesse

Titre original
GOOSEBUMPS n° 4
Say cheese and die

© 1992 Scholastic Inc.,
Tous les droits réservés. Reproduction même partielle interdite.
Chair de poule et les logos sont des marques déposées de Scholastic Inc.
La série Chair de poule a été créée par Parachute Press, Inc.
Publiée avec l'autorisation de Scholastic Inc,
557 Broadway, New York, NY 10012, USA
© 2017, Bayard Éditions
© 2010, Bayard Éditions
© 2009, Bayard Éditions
© 2001, Bayard Éditions Jeunesse
© 1995, Bayard Éditions pour la traduction française
Loi n° 49 956 du 16 juillet 1949
sur les publications destinées à la jeunesse
Dépôt légal mai 2010

ISBN : 978-2-7470-3294-0

Imprimé en Espagne par Novoprint (Barcelone)

Avertissement

Que tu aimes déjà les livres ou que tu les découvres,
si tu as envie d'avoir peur, **Chair de poule** est pour toi.

Attention, lecteur !

Tu vas pénétrer dans un monde étrange
où le mystère et l'angoisse te donnent rendez-vous
pour te faire frissonner de peur… et de plaisir !

— La barbe ! Il ne se passe jamais rien dans ce pate-
lin, bougonna Michael Warner, les mains enfoncées
dans les poches de son short en jean effrangé.

— Ça, tu peux le dire ! renchérit Alex Banks.
Sainte-Esther, c'est le désert !

Arthur Normann et Sarah Walker approuvèrent
d'un hochement de tête.

Sainte-Esther, c'est le désert... Tel était le slogan
qu'Alex et ses trois amis avaient inventé pour leur
ville. Pas très flatteur... En fait, Sainte-Esther res-
semblait à beaucoup d'autres villes de province,
avec ses rues paisibles bordées de pelouses ombra-
gées et de maisons confortables.

Mais ce calme n'était pas du goût des quatre
amis. Par ce beau dimanche après-midi d'automne,
ils s'ennuyaient ferme. Qu'est-ce qu'ils pourraient
bien trouver pour s'amuser ?

— Et si on allait chez monsieur Grover ? proposa
Arthur. Il a peut-être reçu de nouvelles BD.

– Hé, l'Oiseau, je te signale que nous n'avons pas d'argent, objecta Alex.

Tout le monde appelait Arthur « l'Oiseau », en raison de sa ressemblance avec une cigogne ou un héron. Il avait des jambes interminables, maigres et anguleuses. Sous son épaisse chevelure sombre, toujours ébouriffée, ses petits yeux bruns encadraient un long nez pointu et recourbé en forme de bec. Arthur n'aimait pas beaucoup son surnom, mais il était bien obligé de s'y habituer.

– On peut lire des BD sans les acheter, insista-t-il.

– À condition que Grover nous fiche la paix, dit Sarah.

Elle gonfla ses joues en imitant le ton pincé du libraire : « Vous êtes ici pour acheter ou pour faire l'inventaire ? »

Tous les quatre se mirent à rire. Ils se connaissaient depuis longtemps. Alex et Sarah habitaient deux maisons voisines et leurs parents étaient amis. Arthur et Michael habitaient un peu plus loin dans le même quartier.

– Et si on faisait une partie de base-ball ? proposa Michael.

– À quatre, nous ne sommes pas assez, dit Sarah en repoussant une mèche de boucles noires qui lui retombait sur les yeux. Elle portait un sweat-shirt jaune deux fois trop grand pour elle, par-dessus un collant d'un vert éclatant.

– On trouvera peut-être d'autres joueurs sur le terrain, dit Michael.

C'était un rouquin un peu fort aux yeux bleus, avec un visage couvert de taches de son.

– Moi, je suis d'accord pour une partie de base-ball, approuva Arthur. J'ai besoin de m'entraîner. Les compétitions des clubs scolaires reprennent dans deux jours.

– Tu y participes ? demanda Sarah.

– Et comment ! Notre premier match est prévu pour mardi après-midi.

– Nous irons voir comment tu vas t'en sortir, dit Alex.

– Plus exactement, nous irons voir comment tu vas te faire sortir, ajouta Sarah, qui adorait taquiner Arthur.

– À quel poste joues-tu ? demanda Alex.

– Ce n'est pas encore décidé, répondit Arthur. Mais toi, comment se fait-il que tu n'y participes pas ?

Large d'épaules, avec des bras et des jambes robustes, Alex était incontestablement l'athlète du groupe. Blond aux yeux bleus, il avait un beau sourire chaleureux.

– Mon frère William devait m'inscrire, mais il a oublié, expliqua-t-il avec une expression contrariée.

– Au fait, on ne le voit plus, lui. Qu'est-ce qu'il devient ? interrogea Sarah, qui avait un petit faible pour le frère aîné d'Alex.

– Il s'est trouvé un boulot. Pour se faire de l'argent de poche, il travaille le dimanche et après les classes chez le grand glacier du centre ville.

– Super ! s'exclama Michael. Il faut aller lui rendre visite.

– Je te rappelle que nous n'avons pas un sou, fit remarquer Arthur en soupirant.

– Quelle barbe ! gémit Sarah. On ne va tout de même pas rester plantés là à bâiller d'ennui pendant des heures.

– Nous devrions peut-être nous asseoir, pour bâiller plus confortablement, proposa Arthur en tordant les lèvres comme il le faisait chaque fois qu'il plaisantait sans trop de conviction.

– On n'a qu'à faire un tour, ou un peu de footing, insista Sarah.

Sans plus attendre, elle traversa le trottoir et se mit à en suivre le rebord à petits pas précautionneux, les bras largement écartés, comme un équilibriste sur son fil.

Les garçons s'alignèrent aussitôt derrière elle et la suivirent en imitant ses attitudes.

Un amusant petit cocker surgit soudain d'une haie voisine et s'élança vers eux en aboyant joyeusement. Sarah interrompit son jeu pour le caresser. Le chien, dont le minuscule bout de queue s'agitait avec frénésie, lui lécha la main à plusieurs reprises. Puis il se détourna et replongea aussitôt dans la haie d'où il était sorti.

Les quatre amis reprirent leur procession, jouant à essayer de se faire mutuellement perdre l'équilibre. Plus loin, après avoir traversé un petit espace boisé, ils s'arrêtèrent devant une vaste pelouse qui montait en pente douce à partir du trottoir. Cela devait faire des années qu'on n'y avait pas passé une tondeuse : l'herbe était très haute, envahie par le chiendent et parsemée de buissons couverts de ronces.

Au sommet de ce terrain à l'abandon se dressait une grande maison délabrée, cachée en partie par les ombres d'énormes chênes. Tout indiquait qu'autrefois ç'avait dû être une splendide demeure. Elle s'élevait sur deux étages. Elle avait un vaste porche en façade et un long toit pentu encadrait de hautes cheminées. Mais il était évident que plus personne ne s'en occupait depuis longtemps : des volets à demi arrachés pendaient aux fenêtres, les vitres étaient brisées ou couvertes de poussière, et bon nombre de tuiles manquaient à la toiture.

À Sainte-Esther, tout le monde savait que c'était la maison Coffman. On pouvait d'ailleurs lire ce nom sur la boîte aux lettres rouillée qui était fixée à un poteau devant l'entrée.

Cette maison était abandonnée depuis des années. Alex et ses amis l'avaient toujours connue dans cet état. Et bien des histoires inquiétantes couraient à son sujet, des histoires de fantômes, de crimes mystérieux, de phénomènes inexplicables. Rien de tout cela n'était sans doute vrai.

– J'ai une idée, lança soudain Michael, le regard levé vers la maison, une idée géniale pour occuper notre après-midi.

– Et... euh... c'est quoi, ton idée ? demanda Alex avec méfiance.

– On va explorer la maison Coffman, répondit-il en s'engageant dans l'allée qui traversait les hautes herbes.

– Tu es fou ! s'exclama Alex, qui se précipita pour le retenir.

– Mais non, allez, on y va ! insista Michael. On voulait de l'aventure, non ? Eh bien, partons découvrir les secrets de cette maison.

Alex hésitait en observant l'inquiétante bâtisse, saisi d'un mauvais pressentiment.

Soudain, alors qu'il s'apprêtait à répondre, une forme sombre jaillit des hautes herbes et bondit sur lui.

2

Alex se jeta en arrière, trébucha et s'étala dans l'herbe en criant. Il entendit alors les autres éclater de rire.

– C'est cet idiot de cocker ! s'exclama Sarah. Il nous a suivis.

– À la niche ! lança Arthur d'un ton autoritaire. Allez, ouste !...

Le chien s'éloigna en trottinant, puis s'arrêta et fit demi-tour pour observer le petit groupe en agitant la queue.

Vexé d'avoir eu peur pour si peu, Alex se remit debout en s'attendant à subir les moqueries de ses amis. Mais ceux-ci lui tournaient déjà le dos et observaient la vieille bâtisse avec intérêt.

– Ouais, Michael a raison, dit Arthur en hochant la tête. Allons voir à quoi ça ressemble, là-dedans.

– Pas question, bougonna Alex. Cette maison a quelque chose de louche, vous ne trouvez pas ?

– Et alors ? lui lança Sarah d'un air de défi. Tu as la trouille ?

– Euh… non… Mais il me semble que nous ferions mieux de ne pas y aller. Cette vieille baraque me donne l'impression…

– On dirait surtout qu'elle te donne la chair de poule ! se moqua Michael.

– La chair de poule !… reprit Arthur, qui se mit à glousser et à caqueter en repliant les bras, les poings sous les aisselles pour imiter des battements d'ailes. Avec ses petits yeux et son long nez pointu, c'était très réussi : il avait vraiment l'air d'une poule.

C'était tellement irrésistible qu'Alex lui-même ne put s'empêcher de rire, et la discussion s'arrêta là. Les quatre amis s'avancèrent jusqu'au pied des marches en béton qui menaient au porche d'entrée.

– Regardez, dit Sarah. Il manque un carreau à la fenêtre qui est contre la porte. On peut y passer un bras pour ouvrir de l'intérieur.

– Pas bête ! approuva Michael avec enthousiasme.

– Vous y tenez vraiment ? ne put s'empêcher de demander Alex. Et l'Araignée ? Vous y avez pensé au moins ?

L'Araignée était un homme d'une soixantaine d'années, à l'aspect inquiétant, que l'on voyait rôder un peu partout en ville. Entièrement vêtu de noir, il avait des membres immenses, très maigres, qui le faisaient ressembler à une araignée, d'où son surnom. D'autant que personne ne savait comment il s'appelait en réalité. D'ailleurs, on ignorait tout de lui. On ne savait même pas où il habitait. Mais, comme on le rencontrait souvent près de la maison Coffman, la rumeur courait qu'il y avait sans doute élu domicile.

– Je ne suis pas sûr qu'il apprécie les visites, reprit Alex en désespoir de cause.

Mais Sarah était déjà collée à la fenêtre au carreau cassé. Elle tendit le bras à l'intérieur et tâtonna un instant. Puis elle sentit sous ses doigts le contact froid d'un loquet métallique. Elle le fit basculer. La lourde porte en bois s'entrebâilla en grinçant.

L'un après l'autre, ils entrèrent, Alex en dernier. Il faisait sombre. Seuls quelques minces rayons lumineux formaient ici et là des taches claires sur le sol. Les lames de parquet grinçaient sinistrement sous les pas des enfants quand ils arrivèrent devant la porte ouverte du salon. La pièce était vide, à l'exception de quelques gros cartons d'emballage étalés par terre au pied d'un mur.

« Le mobilier de l'Araignée ? » se demanda Alex.

Un tapis était marqué en son centre par une grande tache sombre, de forme ovale. Alex et Arthur l'aperçurent en même temps et s'immobilisèrent sur le seuil.

– Tu crois que c'est du sang ? interrogea Arthur, ses petits yeux brillant d'excitation.

Alex sentit un frisson glacé lui parcourir la nuque.

– J'espère que c'est plutôt du ketchup, répondit-il.

Arthur se mit à rire et lui envoya une grande claque dans le dos.

Sarah et Michael étaient partis explorer la cuisine. Quand Alex vint les rejoindre, ils avaient les yeux fixés sur le comptoir poussiéreux qui prolongeait l'évier. Il découvrit aussitôt ce qui retenait leur attention : deux souris dodues qui les observaient sans bouger.

– Elles sont mignonnes, dit Sarah. On dirait des souris de dessins animés.

Le son de sa voix fit déguerpir les petites bêtes, qui disparurent derrière l'évier.

– Elles sont grosses, pour des souris, dit Michael en tordant la bouche d'un air dégoûté. Je crois plutôt que ce sont des rats.

– Les rats ont une longue queue, pas les souris, lui fit remarquer Alex.

– Méfiez-vous ! Elles doivent avoir faim, ces bestioles ! lança Arthur, qu'ils entendirent ensuite s'éloigner dans le hall d'entrée.

Sarah s'approcha de l'évier pour ouvrir un placard mural qui le surplombait. Il était vide.

– L'Araignée ne doit jamais se servir de la cuisine, dit-elle.

– Allons bon ! Et moi qui croyais qu'il passait son temps à se préparer de bons petits plats, plaisanta Alex.

Ils passèrent dans une pièce qui avait dû être la salle à manger. Elle était également vide et couverte de poussière. Au plafond pendait un lustre tellement crasseux qu'on ne pouvait faire la différence entre le verre et le métal.

– On se croirait dans une maison hantée, murmura Alex.

– Bof ! se contenta de répondre Sarah en ressortant dans le hall d'entrée.

– À mon avis, reprit Alex en la rejoignant, il n'y a rien d'intéressant à trouver ici… sauf si l'on se passionne pour la poussière et les toiles d'araignées.

Soudain, un craquement sourd le fit sursauter.

– Que… qu'est-ce que c'est que ça ? s'écria-t-il, incapable de maîtriser son effroi.

Sarah se mit à rire :

– Dans toutes les vieilles maisons, on entend des drôles de bruits, tu sais.

– N'empêche qu'on ferait mieux de s'en aller, insista Alex.

Il se sentit un peu ridicule et tenta de se justifier :

– Je commence à m'embêter ici.

– Eh bien moi, au contraire, je trouve très amusant d'être dans un endroit interdit, dit Sarah en se dirigeant vers une petite pièce obscure, sans doute un ancien bureau.

Elle s'y retrouva nez à nez avec Michael qui s'apprêtait à en sortir.

– Arthur n'est pas avec toi ? lui demanda-t-elle.

– Je crois qu'il est allé dans la cave.

– Hein ? Quelle cave ?

Michael désigna du doigt une porte ouverte, sur la droite du hall d'entrée.

– C'est là-bas. Il y a un escalier qui descend.

Tous trois s'avancèrent jusqu'à cette porte, où ils aperçurent en effet des marches qui s'enfonçaient dans une profonde obscurité.

– Eh, Arthur ! Tu es là ?

Il y eut un bref instant de silence angoissant. Puis, du fond des ténèbres, s'éleva la voix terrifiée de leur ami :

– Au secours ! Au secours !

3

– Vite ! À l'aide !

En entendant les cris de son ami, Alex retrouva tout son courage. Bousculant Sarah et Michael qui demeuraient bouche bée, pétrifiés par la peur, il s'élança dans l'escalier qu'il dévala quatre à quatre.

– J'arrive, Arthur ! Qu'est-ce qui se passe ?

Le cœur battant, il s'immobilisa au pied des marches, fouillant du regard la cave éclairée par d'étroits soupiraux situés au ras du plafond.

– Arthur ?

Arthur était là. Il trônait paisiblement sur un gros bidon métallique retourné, les jambes croisées, le visage illuminé d'un large sourire.

– Je t'ai bien eu, hein ! dit-il en éclatant de rire.

– Qu'est-ce qu'il y a ? Qu'est-ce qui se passe ? firent les voix haletantes de Sarah et de Michael qui se ruaient à leur tour dans l'escalier.

Quand ils rejoignirent Alex, il ne leur fallut que quelques secondes pour comprendre la situation.

– Encore une de tes blagues débiles ! lança Michael d'une voix que l'émotion faisait encore trembler.

– Tu te crois peut-être malin ! ajouta Sarah, l'air furieux.

Arthur acquiesça d'un hochement de tête, avec son demi-sourire, habituel dans ce genre de circonstances :

– Vous êtes trop naïfs ! gloussa-t-il.

– Ce n'est pas une raison, rétorqua Sarah. Tu n'as jamais entendu l'histoire de ce type qui criait au loup ? Imagine que tu aies vraiment besoin d'aide, que tu appelles au secours et que tout le monde pense que tu es encore en train de blaguer.

Arthur haussa les épaules :

– Que veux-tu qu'il m'arrive ?… Vous avez remarqué ? On y voit beaucoup mieux qu'en haut.

Il avait raison. La pièce au sous-sol donnait une impression de clarté.

– En tout cas, nous ne devrions pas rester ici, s'obstina Alex en parcourant rapidement du regard le fouillis qui les entourait.

Derrière le bidon qui servait de siège à Arthur, se dressait une table improvisée, formée d'une planche posée sur des caisses. Plus loin, au pied d'un mur, un matelas crasseux était à moitié recouvert par une vieille couverture trouée.

– C'est ici que doit habiter l'Araignée ! s'exclama Michael.

Arthur poussait du pied un tas de boîtes de conserve vides et d'emballages de surgelés qui étaient amoncelés dans un coin.

– On dirait qu'il a de l'appétit, dit-il. Mais je me demande où il fait chauffer tous ces surgelés.

– Peut-être qu'il les mange comme ça, suggéra Sarah. En les suçant comme des esquimaux !

Elle se dirigea vers une imposante armoire en bois dont elle ouvrit les deux battants.

– Super ! s'écria-t-elle. Venez voir.

Elle sortit un vieux manteau de fourrure qui perdait ses poils et le jeta sur ses épaules.

– Super ! répéta-t-elle en pivotant pour faire virevolter le manteau autour d'elle.

Michael et Arthur la rejoignirent et commencèrent à sortir pêle-mêle de surprenants caleçons longs, des chemises à carreaux, des cravates d'une largeur démesurée, des foulards, des pochettes multicolores.

– Dites donc, intervint Alex, vous ne pensez pas que tout ça appartient à quelqu'un ?

Arthur se redressa en prenant une pose théâtrale, le cou et les épaules drapés dans un châle tout mité.

– À qui veux-tu que ce soit ? demanda-t-il.

– Ces vêtements doivent avoir des dizaines d'années ! remarqua Michael. C'est dingue, non ? Comment des gens ont-ils pu abandonner tout cela ici ?

– Et s'ils venaient les récupérer ? dit Alex, toujours soucieux.

Laissant ses amis vider l'armoire, il se dirigea vers l'autre extrémité de la vaste pièce. Le mur du fond était en partie occupé par une énorme chaudière d'où partaient plusieurs conduits couverts de toiles d'araignées. Derrière les conduits, Alex aperçut des marches qui semblaient mener à l'extérieur.

Sur le mur d'à côté s'alignaient des étagères garnies de vieux pots de peinture, de chiffons, d'outils rouillés.

« Celui qui habitait ici devait être un sacré bricoleur », se dit Alex en examinant une table de bois massif sur laquelle un étau en métal était fixé. Alex empoigna le levier et le tourna pour écarter les mâchoires de l'outil.

Mais à sa grande surprise, ce mouvement déclencha l'ouverture d'un volet situé juste au-dessus de sa tête. Ce volet dissimulait un petit placard encastré dans le mur.

Posé sur l'unique étagère du placard, il y avait un appareil-photo.

Alex resta un long moment immobile, les yeux fixés sur l'appareil.

Quelque chose lui disait qu'il devait y avoir une bonne raison pour qu'il ait été caché là.

Quelque chose lui disait aussi qu'il ferait mieux de ne pas y toucher et de refermer le volet. Mais ce fut plus fort que lui. Il avança une main dans le placard et s'empara de l'appareil.

À peine l'avait-il fait que le volet se refermait avec un claquement sec.

« Bizarre, pensa Alex. Et quel drôle d'endroit pour ranger un appareil-photo ! Pourquoi l'a-t-on laissé là ? S'il a suffisamment de valeur pour être enfermé dans un placard secret, pourquoi ne l'a-t-on pas emporté ? »

Il examina l'appareil avec attention. C'était un modèle de grande taille, étonnamment lourd, avec un long objectif. Peut-être s'agissait-il d'un téléobjectif. Alex s'intéressait beaucoup à la photographie. Il n'avait qu'un appareil automatique bon marché. Mais il économisait sur son argent de poche, dans l'espoir de pouvoir s'offrir un jour quelque chose de plus sérieux, avec plusieurs objectifs. Il adorait feuilleter les magazines spécialisés pour étudier les différents modèles qu'on y décrivait et noter ceux qu'il aimerait s'acheter.

Parfois, il rêvait de parcourir le monde, d'explorer des régions inconnues, hautes montagnes et jungles impénétrables. Il en ramènerait des photographies qui le rendraient célèbre.

L'appareil qu'il avait chez lui était trop minable. C'est pourquoi tous ses clichés manquaient de netteté et les gens qu'il photographiait avaient des petites taches rouges dans les yeux.

Alex se demanda si sa trouvaille valait quelque chose. Il approcha l'appareil de son visage et regarda par le viseur.

De l'autre côté de la pièce, Michael se tenait debout sur les marches de l'escalier, une grande écharpe jaune vif autour du cou, la tête coiffée d'un superbe chapeau haut-de-forme.

– Ne bouge pas, Michael ! lança Alex en s'approchant, l'œil toujours collé au viseur.

– Où est-ce que tu as trouvé ça ? s'étonna Arthur.

– Il y a un film dedans ? demanda Michael.

– Aucune idée, répondit Alex. On verra bien.

S'adossant à la rampe, Michael prit une pose qui se voulait le comble de l'élégance. Alex cadra soigneusement et tâtonna un instant avant de sentir sous son doigt le bouton du déclencheur.

– Prêt ? Allons, un petit sourire !

– Le petit oiseau va sortir ? dit Michael en faisant une grimace.

– Très drôle ! rétorqua Arthur.

Alex appuya sur le petit levier du déclencheur.

Il y eut un déclic et un flash. Puis l'appareil émit un léger bourdonnement électronique et une fente s'ouvrit à sa base. Un rectangle de pellicule opaque en sortit.

– Eh ! dites donc ! s'exclama Alex. C'est un appareil à développement automatique !

Il tira sur la pellicule pour la sortir complètement du boîtier et l'examina.

– Regardez, dit-il, l'image est en train d'apparaître.

– Fais-moi voir, dit Michael en prenant appui de tout son poids sur la rampe pour sauter au bas des marches.

Il y eut un craquement sinistre.

La rampe venait de se briser et Michael bascula en battant l'air de ses bras pour tenter de se rattraper à quelque chose.

– Nooon ! hurla-t-il en tombant lourdement sur le sol bétonné.

Étendu de tout son long sur le dos, il resta immobile un bref instant. Puis il fit un mouvement pour se lever, mais poussa aussitôt un cri.

– Ma cheville ! Oh la la ! Ma cheville !...

Sans lâcher l'appareil-photo, Alex se précipita vers lui, en même temps que Sarah et Arthur.

– Attends ! On va t'aider, dit Sarah en se penchant sur Michael qui grimaçait de douleur.

C'est alors qu'un bruit se fit entendre au-dessus d'eux. Des pas. Il y avait quelqu'un au rez-de-chaussée.

Quelqu'un était entré dans la maison. Ils allaient se faire prendre, comme dans un piège.

5

Les bruits de pas se rapprochaient de plus en plus. Les quatre amis se regardèrent, angoissés.

– Il faut *absolument* sortir d'ici, chuchota Sarah.

– Ne me laissez pas, protesta Michael en se redressant pour s'asseoir.

– Il faut te lever, lui dit Arthur. Vite !

– Mais je ne peux pas poser le pied par terre.

– On va t'aider, dit Sarah en se tournant vers Arthur. Prends-le par un bras, je le prends par l'autre.

Arthur hocha la tête et passa l'un des bras de Michael autour de ses épaules. Sarah fit de même de l'autre côté.

– Allons-y, chuchota-t-elle.

– Mais par où sortir ? demanda Arthur d'une voix inquiète.

Au-dessus de leurs têtes les pas se faisaient de plus en plus proches.

– Il y a un autre escalier derrière la chaudière, dit Alex en désignant du doigt le fond de la pièce.

– Tu crois qu'il conduit dehors ? demanda Michael que sa cheville douloureuse faisait grimacer.

– J'espère que oui ! dit Alex.

Il passa devant pour leur montrer le chemin, en ajoutant :

– J'espère surtout que la porte n'est pas condamnée.

– Manquerait plus que ça ! grogna Arthur.

– Ce serait trop bête, haleta Sarah, qui ployait sous le poids de Michael.

Celui-ci avançait en sautillant sur une jambe, encadré par ses deux amis. Ils arrivèrent ainsi à l'escalier et constatèrent qu'il menait à une double porte située au rez-de-chaussée.

– Je ne vois pas de verrou, constata Alex.

– *Eh, qui est là ?* appela une grosse voix d'homme.

– C'est… c'est l'Araignée ! balbutia Michael.

– Dépêche-toi ! lança Sarah à Alex qui montait l'escalier devant elle. Vite !

Alex posa l'appareil-photo par terre et saisit à deux mains les poignées de la double porte.

– *Qui est là, bon sang ?*

Cette fois, la voix paraissait toute proche.

– La porte a l'air d'être fermée de l'extérieur, chuchota Alex avec consternation.

– Eh bien, enfonce-la, mon vieux ! dit Arthur d'un ton pressant.

Alex s'arc-bouta contre les panneaux de bois, prit une profonde inspiration et poussa de toutes ses forces. Rien ne bougea.

– Nous sommes fichus ! gémit-il.

— Essaie encore, dit Arthur. Peut-être qu'elle est seulement coincée ?

Il se libéra du bras de Michael en ajoutant :

— Attends, je vais t'aider.

Alex s'écarta pour qu'Arthur puisse se mettre en place à côté de lui.

— Prêt ? demanda-t-il. Une, deux… TROIS !

Les deux garçons pesèrent de toutes leurs forces sur les lourds battants de bois. Brusquement, la double porte s'ouvrit à la volée.

— Bravo ! s'exclama Sarah. Vite ! On fiche le camp !

Alex récupéra l'appareil-photo et s'empressa de sortir.

La porte donnait sur l'arrière de la maison. Le jardin avait l'air tout aussi abandonné que celui de devant.

Le sol était envahi de mauvaises herbes touffues et un vieux chêne, qui avait dû être malmené par un orage, laissait pendre une énorme branche à demi arrachée.

Arthur et Sarah réussirent tant bien que mal à faire monter les dernières marches à Michael et à l'amener dehors.

– Tu peux marcher ? lui demanda Arthur. Essaie voir !

Sans cesser de s'appuyer sur ses deux amis, Michael avança prudemment son pied jusqu'au sol. Il le souleva aussitôt, puis le reposa, un peu plus fermement cette fois.

– Eh, mais j'ai l'impression que ça va mieux ! dit-il, l'air étonné.

– Alors, allons-y, l'encouragea Arthur.

Ils se précipitèrent jusqu'à la haie broussailleuse qui bordait la propriété. Michael réussit à se débrouiller seul, en clopinant de façon à s'appuyer le moins possible sur sa cheville blessée. Ils suivirent ensuite la haie pour contourner la maison et gagner l'allée par laquelle ils étaient arrivés.

– Ouf ! souffla Arthur lorsqu'ils atteignirent la rue. On a réussi, mais c'était juste.

Alex s'arrêta au bord du trottoir et se retourna vers la maison.

– Regardez ! s'écria-t-il en tendant le bras.

Une sombre silhouette se tenait derrière l'une des fenêtres, les deux mains appuyées contre les vitres.

– L'Araignée ! s'exclama Sarah.

– Il... il nous observe, balbutia Michael.

– Fichons le camp, dit Alex en frissonnant.

Ils parcoururent d'une seule traite la distance qui les séparait de la maison de Michael.

– Comment ça va, ta cheville ? demanda Alex.

– Mieux, répondit Michael. J'ai beaucoup moins mal.

– Tu aurais pu te tuer, dit Arthur en soulevant un pan de son tee-shirt pour essuyer son front en sueur. Heureusement que tu es bien rembourré !

– Merci de me le rappeler, dit Michael d'un ton sec.

– Quand je pense qu'on se plaignait de manquer d'aventures !... déclara Sarah en se laissant tomber dans l'herbe au pied d'un arbre. On a été servis.

– Ce type, l'Araignée, je le trouve vraiment inquiétant, dit Arthur en hochant la tête.

– Vous avez vu comment il nous regardait ? demanda Michael. Et cette manie de s'habiller tout en noir ! On dirait un zombie.

– En tout cas, il nous a bien vus et il pourra nous reconnaître, dit Alex. On a intérêt à ne plus traîner par là-bas !

– Et pourquoi ? demanda Michael. Il n'est pas chez lui. C'est seulement une maison où il dort. On pourrait le signaler à la police.

– Et s'il est cinglé, ou quelque chose comme ça ? Tu te rends compte de ce qu'il serait capable de faire ? répliqua Alex.

– À mon avis, il ne fera rien du tout, intervint Sarah. Ce type ne tient sans doute pas à avoir d'ennuis. Il veut seulement qu'on lui fiche la paix.

– Ouais, tu as raison, approuva Michael. Il n'a pas envie qu'on vienne fouiller dans ses affaires. C'est pour ça qu'il avait l'air furieux.

Michael était assis dans l'herbe et se massait la cheville tout en parlant.

– Eh, mais au fait ! s'exclama-t-il soudain en se tournant vers Alex. Qu'est devenue ma photo ?

– Hein ?

– Tu sais bien ! La photo que tu as prise avec cet appareil.

– Oh, mais c'est vrai !

Alex prit conscience à ce moment qu'il tenait toujours l'appareil trouvé dans le sous-sol de la maison. Il le déposa délicatement sur l'herbe et plongea une main dans la poche arrière de son jean.

– Je l'avais mise là quand on a dû se sauver, expliqua-t-il.

– Dépêche-toi de nous la montrer ! le pressa Michael.

Alex sortit la photographie de sa poche et les trois autres se regroupèrent aussitôt près de lui pour y jeter un coup d'œil.

– Hé... mais... attendez une seconde ! s'écria Alex en se penchant sur le cliché, les yeux écarquillés. Il y a quelque chose qui ne va pas !... Qu'est-ce que c'est que ce truc ?

Bouche bée, les quatre amis fixaient la photographie. Elle représentait Michael en pleine chute, au moment où il venait de basculer par-dessus la rampe brisée.

– Ce n'est pas possible ! s'écria Sarah.

– Tu avais appuyé sur le déclencheur *avant* que je tombe, déclara Michael en prenant la photo des mains d'Alex pour l'examiner de plus près. Je m'en souviens très bien.

– Eh bien, il faut croire qu'on s'est trompés, dit Arthur en se penchant pour regarder de nouveau par-dessus l'épaule de Michael. Tu étais sans doute en train de tomber. Elle est super, cette photo !

Il prit l'appareil en main et adressa un clin d'œil à Alex :

– Tu n'as pas fauché n'importe quoi ! C'est de la bonne qualité.

– Mais je ne l'ai pas volé… commença Alex. Enfin, je veux dire… je ne me suis pas rendu compte…

– Je n'étais pas en train de tomber, répéta avec obstination Michael, qui contemplait fixement la photographie. Souvenez-vous : j'étais debout contre la rampe. J'avais pris la pose, avec un grand sourire, un peu idiot d'ailleurs.

– Pour ça, mon vieux, je m'en souviens, du sourire un peu idiot ! se moqua Arthur en rendant l'appareil à Alex. Mais ça, c'est naturel chez toi !

– Tu n'es pas drôle, l'Oiseau, grommela Michael.

– C'est vraiment bizarre, cette histoire, dit pensivement Alex.

Il jeta un coup d'œil à sa montre et sursauta :

– Eh ! Il faut que je rentre en vitesse.

Alex avait promis à sa mère de revenir tôt pour l'aider à passer l'aspirateur avant le dîner. Et voilà que maintenant il était en retard.

Il dit au revoir aux autres et s'éloigna en courant. Le soleil de cette fin d'après-midi commençait à se coucher derrière les arbres en projetant leurs longues ombres sur la chaussée.

Alex n'arrêta sa course que quelques mètres avant d'arriver à sa maison. « Tiens, à qui peut être cette voiture qui stationne devant l'allée ? » se demanda-t-il en s'approchant d'elle.

C'était un grand break bleu marine. Flambant neuf.

« La nouvelle voiture ! comprit-il soudain. Papa devait aller la chercher aujourd'hui. »

Alex s'arrêta pour la contempler. L'étiquette du vendeur était encore collée sur l'une des vitres. Il ouvrit la portière du conducteur et se pencha pour regarder à l'intérieur. Mmmmm... Cette voiture avait une odeur particulière, une odeur très agréable. Les sièges sentaient bon le plastique neuf.

Il referma la portière d'une seule poussée, en appréciant le vigoureux bruit métallique que cela fit.

Vraiment superbe !

Il leva l'appareil-photo à hauteur de ses yeux et recula de quelques pas dans l'allée. « Il faut absolument que l'on garde un souvenir de cette voiture quand elle était encore neuve », se dit-il.

Il recula encore un peu, jusqu'à ce que la silhouette du break fût entièrement cadrée dans le viseur. Alors, il appuya sur le déclencheur.

Comme la fois précédente, il y eut un déclic accompagné d'un flash. Puis l'appareil émit son léger bourdonnement électronique et le bout d'une pellicule encore opaque fit son apparition.

Alex se précipita aussitôt vers l'entrée de la maison.

– Je suis là, M'man ! cria-t-il dès qu'il fut à l'intérieur. J'arrive dans une minute !...

Il se rua dans l'escalier en direction de sa chambre.

– C'est toi, Alex ? appela la voix de sa mère. Papa est déjà rentré.

– Je sais. Je descends tout de suite. Excuse-moi d'être en retard.

« Il vaut mieux que je cache cet appareil, décida-t-il. Si les parents le voient, ils voudront savoir d'où il sort. Et je n'ai pas du tout envie de répondre à ce genre de questions. »

– Alex, tu as vu la nouvelle voiture ? lança sa mère du bas des escaliers. Mais qu'est-ce que tu fabriques ?

– J'arrive !

Il cherchait désespérément des yeux un endroit où cacher l'appareil.

Sous le lit ? Non, sa mère le découvrirait en passant l'aspirateur.

Alex se souvint alors du « compartiment secret » que constituait le coffrage du dossier de son lit. Il s'empressa d'y glisser l'appareil et se précipita vers la porte en se passant les mains dans les cheveux pour remettre en place quelques mèches ébouriffées. Il s'arrêta brusquement sur le seuil.

La photo de la voiture ! Qu'est-ce qu'il en avait fait ? Il lui fallut plusieurs secondes pour se souvenir qu'il l'avait posée sur le lit. Curieux de savoir ce qu'elle pouvait donner, il revint sur ses pas pour la récupérer.

– Oh, non !

Les yeux écarquillés, il fixait le cliché avec stupeur.

« Qu'est-ce que c'est que ça ? »

Il approcha la photographie de son visage pour l'examiner plus attentivement. « Non, ce n'est pas possible ! se dit-il. Je deviens dingue, ou quoi ? »

Sur le petit rectangle qu'il tenait à la main, le break bleu marine était dans un état lamentable. On aurait dit qu'il sortait d'un terrible accident : le pare-brise était en miettes, la carrosserie affreusement cabossée, la portière du conducteur enfoncée.

Comment la belle voiture neuve avait-elle pu se transformer en épave sur la photo ? Alex n'en revenait pas.

– Alex, où es-tu ? appela sa mère. Nous avons faim et tu nous fais attendre.

– Excusez-moi, répondit-il sans pouvoir détacher son regard de l'incroyable image. J'arrive !

Il jeta la photo dans le tiroir du haut de sa commode et se dirigea vers l'escalier. La vision de cette automobile toute déglinguée restait imprimée dans son esprit.

Histoire d'en avoir le cœur net, il fit un détour par le salon pour jeter un coup d'œil par l'une des fenêtres qui donnaient sur le devant de la maison.

Le break bleu marine brillait doucement dans la chaude lumière du soleil couchant. Il était en parfait état.

Alex se dépêcha de gagner la salle à manger où son frère et ses parents étaient déjà à table.

– Elle est superbe, la nouvelle voiture, dit-il en s'efforçant de chasser l'image qui l'obsédait.

Mais il ne pouvait s'empêcher de penser à ces tôles déformées, à ces vitres brisées.

– Après le dîner, annonça joyeusement le père d'Alex, je vous propose de vous emmener tous faire un tour !…

Mmmm… Il est drôlement bon, ton poulet, M'man, dit William, le frère d'Alex, sans cesser de mastiquer.

– Merci pour le compliment, répliqua madame Banks d'un ton amusé. Mais je te signale que c'est du veau… pas du poulet.

Alex et son père éclatèrent de rire. William devint tout rouge.

– C'est que… commença-t-il en cherchant ses mots. C'est du veau tellement bon que… qu'on dirait du poulet.

– Je me demande pourquoi je me donne tant de peine pour faire la cuisine, soupira madame Banks.

Son mari jugea bon de passer à un autre sujet de conversation :

– Comment ça se passe chez le glacier ?

– On a manqué de vanille, cet après-midi, raconta William. Ça a fait toute une histoire !

– Je ne crois pas que je pourrai vous accompagner après le dîner, dit Alex qui fixait le contenu de son assiette auquel il avait à peine touché.

– Pourquoi donc ? demanda son père.

– Eh bien…

Alex chercha désespérément une bonne raison. Mais il avait l'impression que son esprit tournait à vide.

Impossible de leur dire la vérité.

Impossible de leur raconter qu'il avait pris une photo de Michael *avant sa chute*, mais que cette photo le montrait *pendant sa chute*.

Et que, maintenant, il avait photographié la nouvelle voiture et sur le cliché, elle était transformée en épave !…

Alex n'y comprenait rien, absolument rien. Il se sentait envahi d'une terrible angoisse. C'était une sensation atroce. Il avait peur, très peur, sans même savoir de quoi.

Mais il ne pouvait rien leur dire de tout cela. C'était trop absurde. Complètement incroyable.

– Je… j'ai promis à Michael d'aller chez lui, improvisa-t-il, en baissant les yeux.

– Eh bien tu n'as qu'à lui téléphoner pour dire que tu iras demain, répliqua monsieur Banks. Ce n'est pas un problème.

– Et puis… Je ne me sens pas très bien, insista Alex.

– Qu'est-ce qui ne va pas ? demanda aussitôt sa mère avec inquiétude. Tu as de la fièvre ? Je t'ai trouvé bien rouge quand tu es rentré.

– Non, je n'ai pas de fièvre, répondit Alex, très embarrassé. C'est seulement que je me sens un peu fatigué. Et je n'ai pas très faim.

– Je peux avoir ton poulet… euh, je veux dire, ton veau ? demanda William.

Sans attendre de réponse, il se pencha par-dessus la table et s'empara de l'assiette de son frère.

– Une promenade ne peut que te faire du bien, dit monsieur Banks en levant sur Alex un regard soupçonneux. Tu prendras l'air. Et si tu veux, tu pourras même t'allonger à l'arrière.

– Mais enfin, Papa…

Alex n'alla pas plus loin. Il se sentait à bout d'arguments. Quant à essayer de les prévenir du danger qu'il pressentait, inutile d'y songer : personne n'y croirait !

– Tu viens avec nous, un point c'est tout, déclara son père qui continuait de le dévisager. Tu attendais cette nouvelle voiture avec tellement d'impatience… Je ne comprends pas ce qui t'arrive.

« Moi non plus, je n'y comprends rien, se dit Alex. Pourquoi ai-je si peur d'aller faire un tour dans cette voiture ? Uniquement parce que quelque chose ne tourne pas rond dans cet appareil-photo ? »

« C'est idiot », conclut-il en s'efforçant de chasser de son esprit l'angoisse qui lui avait coupé l'appétit.

– D'accord, Papa, dit-il avec un sourire contraint. Je vais venir.

– Ce break est vraiment agréable à conduire, dit monsieur Banks en accélérant pour s'engager sur le périphérique. Il a autant de souplesse qu'une petite voiture.

– Qu'est-ce qu'on a comme place ! ajouta William, qui occupait la banquette arrière avec son frère.

Madame Banks se retourna vers ses fils :

– Avez-vous bien bouclé vos ceintures ?

– Oui, M'man, tout va bien.

Un camion les doubla en rugissant. Alex ne quittait pas la route des yeux.

Monsieur Banks sortit du périphérique pour s'engager sur l'autoroute presque déserte.

– Accélère à fond, P'pa, lança William en se penchant vers l'avant. On va voir ce qu'elle a dans le ventre, cette voiture !

Monsieur Banks acquiesça d'un hochement de tête et appuya sur l'accélérateur.

– Même à cent kilomètres heure, on ne sent pas la vitesse, dit-il avec satisfaction.

– Ralentis, intervint madame Banks. Tu sais bien qu'ici, c'est limité à quatre-vingt-dix.

– Je fais un petit essai, se justifia son mari, je veux vérifier que l'on a suffisamment de reprise.

Alex jeta un coup d'œil au cadran du tableau de bord. Maintenant, l'aiguille oscillait autour de cent dix.

– Ralentis, voyons, insista madame Banks. Tu te comportes comme un gamin !

Son mari se mit à rire.

Il doubla deux petites voitures qui roulaient sur la voie de droite. Les phares des véhicules qui venaient en sens inverse projetaient des traits lumineux dans la semi-obscurité de la nuit tombante.

– Dis donc, Alex, je te trouve bien silencieux, dit madame Banks. Ça va ?

– Tout va bien, Maman, répondit Alex.

En fait, il n'était pas très rassuré. Son père roulait trop vite : le compteur indiquait maintenant plus de cent cinquante.

– Qu'en dis-tu, Alex ? demanda monsieur Banks, qui lâcha le volant d'une main pour tâtonner sur le tableau de bord. Bon sang, où est la commande des phares ?

– Super ! répondit Alex en s'efforçant de prendre un ton enthousiaste. C'est une super voiture !

Il ne pouvait pourtant s'empêcher d'éprouver une sourde angoisse. La photo de la voiture transformée en épave continuait de le hanter.

– Mais où est donc cette fichue commande des phares ? s'emporta monsieur Banks. Elle doit bien être quelque part !...

Il cessa un instant de regarder devant lui, pour jeter un coup d'œil au tableau de bord, et la voiture fit aussitôt un écart vers la gauche.

– *Papa !* hurla Alex. *Attention au camion !...*

Il y eut des hurlements de klaxon.

Le break fut secoué comme s'il était frappé par le souffle d'un ouragan. Monsieur Banks donna un coup de volant vers la droite.

Le camion ne les avait pas touchés. Mais il s'en était fallu de peu.

– Excusez-moi, dit monsieur Banks en ralentissant progressivement : cent quarante, cent vingt, cent dix…

– Je t'avais dit de ne pas aller aussi vite, cria madame Banks. Tu as failli nous faire tuer !

– J'essayais d'allumer les phares, expliqua son mari. Ah, la voilà ! Sur le volant.

– Ça va, les garçons ? demanda madame Banks en se tournant vers eux.

– Oui, M'man, pas de problème, répondit William d'une voix qui tremblait légèrement.

Il était du côté où le camion avait failli les heurter.

– Tout va bien, dit à son tour Alex. Mais on pourrait peut-être rentrer, maintenant ?

– Tu n'as pas envie de continuer ? demanda son père d'un ton qui trahissait sa déception. Je comptais vous emmener jusqu'à Santa Clara pour prendre une glace ou boire quelque chose.

– Alex a raison, dit madame Banks. Cela suffit pour ce soir. Faisons demi-tour.

– Tu sais, ce camion n'est pas passé si près que ça, ronchonna son mari.

Mais il n'insista pas et sortit de l'autoroute, pour reprendre la direction de leur maison.

Dès qu'ils furent rentrés, Alex se dépêcha de récupérer la photographie dans le tiroir de sa commode. Pas de doute : on y voyait bien la nouvelle voiture complètement cabossée, avec la portière du conducteur enfoncée et le pare-brise en miettes.

– C'est dingue, cette histoire, murmura-t-il en allant déposer la photo à côté de l'appareil, dans le compartiment secret, à la tête de son lit. Complètement dingue !…

Il sortit l'appareil de sa cachette et l'examina dans tous les sens, avec perplexité.

« Il faut que je fasse un nouvel essai, décida-t-il en allant se placer devant le grand miroir fixé au mur, au-dessus de la commode. Je vais me prendre moi-même dans la glace. »

Il leva l'appareil, puis changea d'avis quand il comprit que cela ne donnerait rien : le reflet du flash empêcherait de distinguer quoi que ce fût.

L'appareil à la main, il sortit de sa chambre et se rendit dans celle de William. Celui-ci était assis à son bureau, en train de pianoter sur le clavier de son ordinateur, le visage illuminé par la lueur bleutée de l'écran.

– Je peux te prendre en photo ? lui demanda Alex.

William pianota encore quelques secondes, puis leva les yeux d'un air surpris :

– D'où sors-tu cet appareil ?

– Eh bien, euh… c'est Sarah qui me l'a prêté.

Alex n'aimait pas mentir. Mais il n'avait pas envie de mettre son frère au courant de leur expédition dans la maison Coffman.

– Alors, tu veux bien que je te prenne ? insista-t-il.

– Je risque de détraquer ton appareil, plaisanta William.

– Je crois justement qu'il est déjà détraqué, répondit Alex. C'est pour ça que j'ai besoin de faire un essai.

– Eh bien, vas-y, dit son frère, qui se mit à loucher abominablement en tirant la langue.

Alex appuya sur le déclencheur. Une pellicule encore opaque jaillit de la fente.

– Merci. À plus tard, lança-t-il en se dirigeant vers la porte.

– Eh, attends ! Je n'ai pas le droit de voir ? appela William.

– Plus tard, si ce n'est pas raté, répondit Alex en regagnant précipitamment sa chambre.

Il s'assit sur le bord de son lit et posa sur ses genoux la photo qui commençait à se développer.

Les jaunes apparurent en premier, puis les rouges, bientôt suivis par diverses nuances de bleu.

Alex sursauta quand le visage de son frère devint nettement visible.

– Oh ! Non ! C'est vraiment incroyable, ce truc ! murmura-t-il.

Sur la photo, William ne louchait pas et ne tirait pas la langue. Son visage exprimait la frayeur. Il avait l'air bouleversé.

Lorsque l'arrière-plan finit par se préciser à son tour, Alex eut une nouvelle surprise. William n'était pas dans sa chambre, mais à l'extérieur. Derrière lui, il y avait des arbres. Et une maison.

Alex regarda cette maison attentivement. Elle lui disait quelque chose. N'était-ce pas celle qui se trouvait en face du terrain de sport ?

Il contempla de nouveau le visage effrayé de son frère. Puis il rangea la photo et l'appareil dans le compartiment secret, qu'il referma soigneusement.

« Cet appareil est complètement déréglé », pensa-t-il en se déshabillant pour se coucher. Toute cette histoire le dépassait.

Allongé dans son lit, les yeux fixés sur les ombres mouvantes du plafond, il décida de ne plus y penser. Après tout, pourquoi se préoccuper d'un appareil-photo déréglé ?

Le mardi après-midi, après les classes, Alex se dépêcha d'aller retrouver Sarah sur le terrain de sport pour assister au match de base-ball que devait disputer l'équipe d'Arthur.

C'était une belle journée d'automne. Le soleil brillait dans un ciel sans nuage. Les pelouses qui entouraient le terrain de base-ball emplissaient l'air d'une agréable odeur d'herbe coupée.

Les deux équipes s'échauffaient en échangeant des plaisanteries que rythmait le bruit mat des balles contre les gants. Quelques parents et plusieurs dizaines de jeunes de la ville étaient venus encourager les joueurs. Certains étaient assis sur des bancs, d'autres sur le gazon.

Alex aperçut Sarah, en bordure du terrain, et courut la rejoindre.

– Ah, je vois que tu as pensé à prendre l'appareil-photo, dit-elle en souriant.

– Je crois qu'il est déglingué. Les photos ne sont pas normales. Je n'y comprends rien !

– Le mauvais ouvrier a toujours de mauvais outils, ironisa Sarah. Peut-être que ce n'est pas de sa faute à *lui* !

Elle lui prit l'appareil des mains.

– Hé ! Qu'est-ce que tu veux faire ? demanda Alex en tentant de le lui reprendre.

Sarah recula pour se mettre hors de portée.

– Je veux photographier l'Oiseau. On dirait une autruche déplumée !

– Merci du compliment, dit Arthur qu'ils n'avaient pas vu approcher.

Il avait l'air plutôt ridicule avec son uniforme blanc. La chemise était trop grande pour lui et la culotte trop courte. La casquette bleue, avec une longue visière, était la seule chose qui lui allait à peu près. Il aperçut l'appareil que tenait Sarah.

— Tiens ? C'est une bonne idée de l'avoir apporté.

— C'est moi qui ai demandé à Alex de l'apporter pour qu'on te prenne en photo, lui répondit-elle.

— Tu collectionnes les portraits de grands sportifs ? demanda-t-il.

— Non, les portraits de clowns ! se moqua Sarah.

— Pff... en réalité, vous êtes jaloux, répliqua Arthur. Vous êtes jaloux parce que je suis un champion et que vous n'êtes pas fichus de courir plus de dix mètres sans avoir le souffle coupé !

— Eh, l'Oiseau, viens ici en vitesse ! appela l'entraîneur de son équipe depuis le fond du terrain.

— Il faut que j'y aille, dit Arthur en faisant demi-tour pour aller le rejoindre.

— Attends d'abord que je te prenne en photo ! lança Alex.

Arthur leur fit de nouveau face, et, le buste dressé, il prit une pose avantageuse.

— Non, c'est moi qui vais la faire, protesta Sarah, en pointant l'objectif vers Arthur.

D'un geste vif Alex saisit l'appareil.

— Laisse-moi ça, voyons !

Sans le vouloir, ses doigts accrochèrent le déclencheur au passage. Il y eut un déclic, un flash et une pellicule opaque fit son apparition.

– Qu'est-ce qui t'a pris ? s'écria Sarah en colère.

– Excuse-moi, je ne l'ai pas fait exprès…

Sarah sortit délicatement la pellicule et les deux garçons se penchèrent pour regarder les formes et les couleurs qui se précisaient peu à peu.

– Mais… qu'est-ce que c'est que *ça* ? s'exclama Arthur.

Sarah et Alex demeuraient sans voix, figés par la stupeur.

La photographie montrait Arthur étendu sur le dos au milieu du terrain de base-ball. Apparemment inconscient, il avait les yeux fermés et son cou faisait un angle effrayant par rapport au reste de son corps.

12

– C'est un appareil à effets spéciaux, ou quoi ?
demanda Arthur en prenant la photo, qu'il examina
attentivement.

– Ce n'est pas croyable ! dit Alex en secouant la
tête.

– *Eh, l'Oiseau, grouille-toi, mon vieux !...* appela
à nouveau l'entraîneur.

– J'arrive !

Arthur rendit la photo à Sarah et partit au pas de
course rejoindre son équipe.

Il y eut des coups de sifflet et les joueurs des
deux camps allèrent se mettre en place.

– Tu peux m'expliquer comment un truc pareil
peut arriver ? demanda Sarah, en regardant la photo
de plus près. On dirait vraiment que c'est Arthur,
couché par terre, comme s'il était assommé. Pourtant, il était debout, juste devant nous.

– Je n'y comprends rien, répondit Alex pensif,
rien du tout.

Ils allèrent s'installer à l'ombre d'un arbre qui se trouvait un peu en retrait par rapport au terrain.

– Tu as vu son cou ? reprit Sarah. *C'est horrible* !

– Oui ! Et ce n'est pas la seule…

Alex s'apprêtait à lui parler de la photo de la nouvelle voiture et de celle de son frère William, mais Sarah ne lui en laissa pas le temps :

– Et Michael, lança-t-elle, tu t'en souviens ? La photo le montrait en train de tomber, alors qu'elle avait été prise avant sa chute. C'est bizarre, non ?

– Plus que bizarre, oui, admit Alex.

– Laisse-moi voir ça, dit Sarah en prenant l'appareil. Il reste de la pellicule ?

– Je ne sais pas. Je n'ai pas trouvé de compteur.

Sarah examina l'appareil en le retournant dans tous les sens.

– Tu as raison, finit-elle par dire. Il n'y a pas la moindre indication. Comment peut-on savoir s'il est chargé ou non ?

Alex haussa les épaules avec un geste d'ignorance. Sur le terrain, le match allait commencer d'un moment à l'autre. Les joueurs se tenaient immobiles à leurs postes, le regard attentif.

– Comment on le charge d'après toi ? demanda Sarah, avec une pointe d'agacement dans la voix. Alex se pencha en désignant l'arrière de l'appareil :

– Par ici, à mon avis. La paroi doit pouvoir se déboîter.

Sarah secoua la tête.

– Ça m'étonnerait. La plupart de ces appareils à développement instantané se chargent par-devant.

Elle essaya malgré tout de déplacer la paroi arrière, mais rien ne bougea. Elle ne réussit pas mieux avec les autres parties de l'appareil.

– Enfin quoi, grommela-t-elle, comment ça peut fonctionner, un truc pareil ?

– Attends, laisse-moi voir, dit Alex en prenant l'appareil qu'il examina de nouveau sous toutes les coutures.

Il s'efforça lui aussi d'en faire bouger les différentes parties, mais sans plus de succès. Il releva la tête avec une expression étonnée :

– Il n'y a pas de nom, pas de marque, aucune indication. Rien.

– Ce n'est pas possible ! s'exclama Sarah. Tous les appareils-photo ont un nom. Ce n'est pas normal que le tien n'en ait pas. Je trouve même que c'est louche.

– Eh là, minute ! protesta Alex. Je te rappelle que ce n'est pas le mien. Je ne l'ai pas acheté. Je l'ai seulement trouvé !

– Mouais. N'empêche qu'il n'est pas normal. Il faut trouver un moyen de l'ouvrir pour regarder à l'intérieur.

Sur le terrain, le match avait commencé. Mais Sarah et Alex continuaient à manipuler l'appareil.

– Il doit pourtant y avoir un moyen, insista Sarah en le reprenant. Il y a forcément un bouton quelque part, un levier, un ressort… Je ne sais pas, moi !…

Mais elle eut beau le tourner dans tous les sens, appuyer partout, tenter de dévisser l'objectif, rien n'y fit.

– Bon, d'accord, j'abandonne, renonça-t-elle avec un soupir de découragement.

Elle tendit l'appareil à Alex. Celui-ci le prit et s'apprêtait à le soulever à hauteur de son visage, quand il s'immobilisa brusquement. Les yeux écarquillés, il poussa une sourde exclamation. Sarah se tourna pour suivre la direction de son regard.

– Oh ! Non ! C'est pas vrai !

Là-bas, sur le terrain, à quelques mètres derrière la ligne des bases, Arthur gisait sur le sol. Étendu de tout son long sur le dos, il avait les yeux fermés et son cou faisait un angle anormal par rapport au reste de son corps.

13

– Arthur ! hurla Sarah.

Alex avait l'impression de suffoquer, comme si quelqu'un lui serrait la gorge.

Arthur ne bougeait pas.

Sarah et Alex se précipitèrent vers lui.

– Arthur ? appela Sarah en se laissant tomber à genoux dans l'herbe à côté du corps immobile.

Mais Arthur ne bougea pas. Sarah s'affola :

– Arthur, je t'en supplie, dis quelque chose !

Arthur ouvrit un œil.

– Je vous ai bien eus, hein ? dit-il paisiblement, avec son insupportable sourire en coin.

Il éclata de rire.

Sarah et Alex ne réagirent pas tout de suite. Encore sous le coup de l'émotion, ils restèrent bouche bée, les yeux fixés sur leur ami qui se tordait de rire.

Puis Alex, dont le cœur commençait à retrouver un rythme à peu près normal, se baissa, empoigna

Arthur par les épaules et le remit brutalement debout. Il le fit rapidement pivoter et le ceintura en lui immobilisant les bras.

– Vas-y, lança-t-il alors à Sarah. Tape-le pendant que je le tiens.

– Bonne idée, dit Sarah en prenant un air menaçant.

– Eh, attendez ! Laissez-moi, voyons ! protesta Arthur en se débattant et en essayant d'échapper à Alex. Qu'est-ce qui vous prend ? C'était une blague !...

– Très drôle, dit Sarah en lui envoyant un coup de poing sur l'épaule. Vraiment très drôle !

D'une brusque poussée, Arthur réussit enfin à se libérer.

– C'était une blague, répéta-t-il. Juste pour vous prouver que c'est idiot de faire tant d'histoires à propos de cet appareil minable.

– Mais enfin… commença Alex.

– Il est détraqué, c'est tout, coupa Arthur en faisant tomber du revers de la main quelques brins d'herbe collés à sa culotte blanche. Vous vous faites tout un cinéma, juste pour une photo. C'est idiot, complètement idiot !...

– Tu as peut-être raison, dit Alex. Mais alors, on peut savoir quelle est ton explication ?

– Je te l'ai dit, mon vieux : c'est un appareil déglingué, rien de plus.

– *L'Oiseau, c'est bientôt à toi !* appela une voix. *Attrape ça !*

Arthur réussit de justesse à saisir au vol le gros gant de cuir rembourré qu'on venait de lui envoyer. Il adressa un petit geste de la main à ses deux amis et courut rejoindre ses coéquipiers.

Sarah et Alex allèrent s'asseoir sur l'un des bancs qui bordaient le terrain.

– Arthur est vraiment pénible avec ses plaisanteries stupides, dit Alex en observant ce qui se passait sur le terrain.

– Il m'a fait une de ces peurs ! s'exclama Sarah. J'ai vraiment cru qu'il avait quelque chose de grave.

Ils suivirent le déroulement de la partie en silence pendant un certain temps. Ce n'était pas très passionnant. On en était déjà à la troisième manche et rien ne s'était vraiment passé.

Alex se mit à rire en voyant un garçon de leur classe, nommé Joe Garden, renvoyer la balle au ras de la tête d'Arthur sans que celui-ci réussisse à l'arrêter.

– C'est la troisième fois que ça lui arrive ! dit-il.

– Il doit penser à autre chose ! ricana Sarah. Il fait trop chaud. Et j'ai encore des devoirs à faire. On s'en va ?

– Je voudrais attendre la manche suivante, dit Alex en regardant un des joueurs frapper de toutes ses forces et manquer la balle. Ça va encore être à Arthur et j'ai envie de rester pour le siffler.

– C'est beau, l'amitié ! ironisa Sarah.

Lorsque son tour arriva, Arthur lança la balle de toutes ses forces en direction de son adversaire.

Celui-ci la frappa d'un mouvement puissant et précis avec sa batte. La balle repartit en sens inverse, à la vitesse d'un boulet de canon et cogna violemment Arthur sur le côté de la tête avec un bruit sourd.

Il y eut des cris, tant sur le terrain que dans l'assistance.

Alex sentit son sang se glacer.

Arthur resta un bref instant immobile, les yeux écarquillés. Puis, il se prit la tête à deux mains et s'écroula à genoux en gémissant. Ses mains retombèrent lentement, il bascula en arrière et s'effondra de tout son long sur le dos, les yeux fermés, son cou faisant un angle anormal par rapport au reste de son corps.

Il ne bougeait plus.

Des quatre coins du terrain, les joueurs des deux équipes et leurs entraîneurs se précipitèrent vers le corps étendu sans mouvement. Sarah se mit aussitôt à courir en direction de l'attroupement en hurlant :

– Arthur ! Arthur !

Alex bondit à sa suite, mais s'arrêta brusquement en apercevant une silhouette familière foncer vers lui en faisant de grands signes.

– William ! s'écria-t-il.

Qu'est-ce que son frère venait faire ici ? À cette heure-ci, il aurait dû être en train de travailler chez le glacier du centre ville, comme tous les jours après les classes.

– William ? appela Alex. Que se passe-t-il ?

William ralentit en s'efforçant de reprendre son souffle, le visage ruisselant de sueur.

– J'ai… j'ai couru… jusqu'ici… sans m'arrêter, réussit-il à prononcer d'une voix haletante.

– Que se passe-t-il ? répéta Alex en sentant une soudaine angoisse lui nouer le ventre.

William avait la même expression effrayée que sur la photo prise dans sa chambre. Et derrière lui, il y avait le même décor, avec la même maison.

Ce qu'avait enregistré l'appareil était devenu réalité.

Exactement comme dans le cas d'Arthur, là-bas sur le terrain de base-ball.

Alex s'aperçut que ses genoux tremblaient.

– William, dis-moi ce qui est arrivé, supplia-t-il d'une voix sourde.

– C'est Papa, répondit son frère en lui posant une main sur l'épaule.

– Hein ? Papa ?

– Il faut que tu rentres à la maison, Alex. Papa… eh bien, il a eu un grave accident.

– Un accident ?

Alex avait l'impression d'avoir la tête complètement vide ; les paroles de son frère y résonnaient sans qu'il réussisse à en comprendre la signification.

– Oui, un accident… avec la nouvelle voiture. Le break est salement amoché… une épave…

– Oh ! gémit Alex.

– Allez, dépêche-toi, reprit William en faisant demi-tour.

Une main crispée sur l'appareil-photo, Alex partit en courant derrière son frère.

Juste avant de traverser la rue, il se retourna pour regarder ce qui se passait sur le terrain de base-ball.

Mais la foule qui s'était amassée autour d'Arthur l'empêchait de voir si son ami avait repris connaissance ou non.

« Mais… qui est ce type bizarre, là-bas, de l'autre côté du terrain ? » se demanda-t-il.

Un homme, habillé tout en noir, semblait regarder dans sa direction. Cet homme le guettait-il ?

– Dépêche-toi ! lança William.

Alex ferma un instant les yeux et les rouvrit pour scruter de nouveau l'autre extrémité du terrain. La sombre silhouette avait disparu.

– Dépêche-toi, voyons !…

– J'arrive ! cria Alex en reprenant sa course.

15

Alex s'avançait à pas pressés derrière William vers la chambre de leur père. Les murs de l'hôpital étaient d'un vert très clair, le sol était couvert d'un carrelage brun foncé moucheté de jaune orangé.

Des couleurs…

Tout ce qu'Alex parvenait à distinguer n'était qu'un assemblage de couleurs, des formes incertaines.

Son cœur battait si fort qu'il entendait à peine les claquements sourds de ses semelles sur le carrelage.

Une épave. La voiture n'était plus qu'une épave.

Exactement comme sur la photo.

Alex et William tournèrent dans un autre couloir. Ici, les murs étaient jaune pâle. Les joues de William étaient rouges.

Deux médecins les croisèrent, vêtus de longues blouses verdâtres.

Des couleurs. Rien que des couleurs.

Alex cligna des yeux pour essayer de mieux voir ce qui l'entourait. Mais tout paraissait irréel. Puis les deux garçons pénétrèrent dans la chambre de leur père.

Les couleurs s'estompèrent. Les images devinrent brusquement d'une totale netteté.

Leur mère se redressa sur la chaise où elle était assise à côté du lit.

– Bonsoir, les garçons.

Ses mains se serraient sur un mouchoir chiffonné. Il était évident qu'elle avait pleuré. Elle s'efforçait de sourire, mais elle avait les yeux rouges et les paupières gonflées.

Alex répondit au salut de sa mère d'une petite voix étranglée. Puis il tourna les yeux vers son père.

Monsieur Banks avait la tête entourée d'un épais bandage. L'un de ses bras était plâtré. L'autre reposait sur le lit, avec un long tuyau transparent, rempli d'un liquide brunâtre, fixé à son poignet. Le drap était remonté jusqu'à ses épaules.

– Comment ça va, les gars ? demanda-t-il d'une voix légèrement voilée qui semblait venir de très loin.

– Écoute, papa… commença William.

– Papa va s'en sortir, intervint madame Banks en voyant l'expression angoissée de ses fils.

– Je me sens en pleine forme, dit monsieur Banks de sa voix étrange.

– Tu n'en as pas tellement l'air, laissa échapper Alex en s'approchant du lit.

– Mais si, je t'assure, insista son père. Quelques os cassés, ce n'est rien. Il soupira, eut une petite grimace de douleur et ajouta :

– Je crois que j'ai eu de la chance.

– Tu as eu beaucoup de chance, renchérit madame Banks.

« Comment peuvent-ils dire une chose pareille ? » se demanda Alex, qui ne pouvait détacher ses yeux du tuyau planté dans le bras de son père.

Il pensa de nouveau à la photo de la voiture, cachée là-bas, dans sa chambre, au fond du compartiment secret de son lit. Avec le break transformé en épave, la portière du conducteur complètement enfoncée.

Devait-il leur en parler ? Il ne parvenait pas à se décider. D'ailleurs, le croiraient-ils ?

– Qu'est-ce que tu as de cassé, Papa ? demanda William en s'asseyant sur le radiateur fixé au mur, sous la fenêtre.

– Votre père s'est cassé un bras et quelques côtes, répondit aussitôt madame Banks. Et il est un peu commotionné. Les médecins le gardent en observation pour s'assurer qu'il n'a pas de blessures internes. Mais apparemment, il n'y a rien de grave.

– J'ai eu de la chance, répéta monsieur Banks en souriant.

– Écoute, Papa, il faut que je te parle d'une photo que j'ai prise, dit soudain Alex d'une voix légèrement tremblante. Figure-toi que j'avais pris une photo de la nouvelle voiture et…

– La voiture est complètement fichue, coupa sa mère.

Assise sur le rebord de sa chaise, contre le lit de son mari, elle ne cessait de faire tourner machinalement son alliance autour de son annulaire, ce qui était chez elle un signe de nervosité.

– Je préfère que vous n'ayez pas vu cela, les garçons, ajouta-t-elle au bord des larmes. C'est un vrai miracle que votre père n'ait pas été plus gravement blessé.

– Et alors, cette photo... tenta de reprendre Alex.

– Plus tard, si tu veux bien, l'arrêta sa mère en le foudroyant du regard.

Alex sentit le sang lui monter aux joues. « Évidemment, pensa-t-il, comment pourrait-elle savoir que c'est important ? » Puis il se dit que, de toute façon, ses parents ne l'auraient pas cru. Qui croirait d'ailleurs à une histoire aussi invraisemblable ?

– Je tombe de sommeil, murmura monsieur Banks en bâillant, les yeux mi-clos.

– C'est le calmant que les médecins t'ont donné, dit sa femme en lui tapotant la main. Tu n'as qu'à dormir, je reviendrai dans quelques heures. Venez, les enfants !

Elle se leva et se dirigea vers la porte.

– Au revoir, Papa, dirent ensemble les deux garçons en emboîtant le pas à leur mère.

– Comment c'est arrivé ? demanda William dès qu'ils se retrouvèrent dans le couloir aux murs jaunes.

– Un type qui a grillé un feu rouge, répondit madame Banks. Il a heurté la voiture de plein fouet du côté de ton père. Il prétend que ses freins ont lâché.

Des larmes se formaient au bord de ses yeux rougis.

Elle soupira :

– Grâce à Dieu, il va s'en tirer. C'est l'essentiel.

Ils débouchèrent dans le grand couloir vert, marchant tous les trois côte à côte. À l'autre extrémité, plusieurs personnes attendaient devant les portes fermées de l'ascenseur.

Une fois de plus, Alex songea aux photos qu'il avait prises avec cet appareil inquiétant.

D'abord Michael. Puis William. Puis Arthur. Et enfin son père.

Chaque cliché représentait quelque chose de terrible.

Quelque chose qui ne s'était pas encore produit. Et par la suite, ce que l'on voyait devenait réalité.

Alex frissonna. Il ne savait que penser de tout cela.

Est-ce que cet appareil montrait ce qui allait arriver ?

Ou bien ces terribles événements se produisaient-ils *à cause* de lui ?

— Oui, je sais qu'Arthur va bien, dit Alex au téléphone. Je l'ai vu hier. Il était content, vraiment content. Pas de commotion, rien du tout. Finalement, il s'en est bien tiré.

À l'autre bout de la ligne, dans la maison voisine, Sarah approuva, puis renouvela sa demande.

— Non, Sarah, répliqua Alex, je ne veux pas.

— Allez, apporte-le, sois sympa, insista Sarah. C'est mon anniversaire.

— Je te répète que je ne veux pas apporter cet appareil. Ce n'est pas une bonne idée. Vraiment pas.

On était le samedi après-midi du week-end suivant. Alex n'avait pas touché à l'appareil depuis l'accident de son père.

— Je n'ai pas envie de l'apporter, répéta Alex. Essaie de comprendre ! Je ne veux pas qu'il arrive encore malheur à quelqu'un.

— Voyons, Alex, dit-elle en lui parlant comme s'il était un gamin de trois ans. Tu ne penses pas une chose pareille, n'est-ce pas ? Tu ne peux pas vraiment croire qu'un appareil-photo puisse faire du mal aux gens.

Alex resta un instant silencieux.

– Je ne sais pas ce que je dois croire, dit-il finalement. Je sais seulement qu'il y a d'abord eu Michael, puis Arthur, papa...

Alex avala sa salive avec peine avant d'ajouter :

– Et la nuit dernière, j'ai fait un mauvais rêve.

– Et alors ? interrogea Sarah. De quoi t'as rêvé ?

– De cet appareil, justement. Je prenais des photos de tout le monde. De toute ma famille... maman, papa, William. Ils préparaient un barbecue, derrière chez nous. Je n'arrêtais pas de brandir mon appareil et de répéter « Souriez ! Souriez ! »... Et quand je regardais dans le viseur, eh bien ils me souriaient... seulement, c'était des squelettes. Tous ! Leur peau avait disparu et... et...

– Dis donc, il est plutôt sinistre, ton rêve ! dit Sarah en riant.

– C'est pour cela que je ne veux pas me servir de cet appareil. J'ai l'impression que...

– Apporte-le, Alex, coupa Sarah. Je te rappelle que cet appareil n'est pas à toi. On était tous les quatre dans la maison Coffman. Il nous appartient donc à tous les quatre. Alors, apporte-le.

– Mais enfin, pourquoi ?

– Pour rigoler, c'est tout. Il prend des photos tellement incroyables !

– Ça, tu peux le dire !

– Tu comprends, reprit Sarah, je ne sais pas très bien ce que nous pourrions faire d'autre. Je comptais louer une vidéo, mais ma mère veut que nous restions dehors. Elle a peur que nous mettions le souk dans sa maison si bien tenue. Alors, j'ai pensé que nous pourrions nous prendre en photo, les uns les autres, avec cet appareil bizarre. Chacun aurait ainsi son portrait-surprise.

– Écoute, Sarah, je t'assure que ce n'est pas…

– Apporte-le, un point c'est tout ! Et maintenant, je raccroche.

Alex resta un bon moment à écouter la tonalité dans le récepteur, en se demandant ce qu'il allait faire.

Puis il reposa le téléphone sur son support et prit à contrecœur la direction de sa chambre.

Avec un profond soupir, il sortit l'appareil-photo de sa cachette, dans le coffrage du lit. « Après tout, c'est l'anniversaire de Sarah », murmura-t-il.

Ses mains tremblaient légèrement. Il réalisa combien cet appareil lui faisait peur, maintenant.

« Je ne devrais pas faire ça, se dit-il en sentant une sourde angoisse l'envahir. Je sais bien que je ne devrais pas le faire. »

– Comment ça va, Arthur ? lança Alex en traversant la terrasse qui donnait sur le jardin, à l'arrière de la maison de Sarah.

– Pas mal, répondit Arthur en accueillant son ami d'une vigoureuse claque sur l'épaule. Le seul problème, c'est que depuis l'autre jour, depuis que cette balle m'a tapé sur la tête, de temps en temps, je ne sais pas pourquoi, mais... Cooot-coootcooot !...

Il se mit à battre l'air de ses bras en continuant de glousser et se lança ainsi à travers le jardin, comme s'il cherchait à s'envoler.

– Eh, l'Oiseau, ponds-nous donc un œuf ! cria quelqu'un.

Tout le monde éclata de rire.

– Sacré Arthur, on ne le changera pas ! soupira Michael en s'approchant d'Alex.

– Alors, tu l'as apporté ?

C'était la voix de Sarah.

Alex se retourna et la vit courir pour le rejoindre. Ses cheveux noirs étaient ramenés en une grosse tresse et elle portait une ample blouse jaune en soie par-dessus un étroit pantalon noir.

– Tu l'as apporté ? répéta-t-elle avec impatience.

– Ouais, ronchonna Alex en lui montrant l'appareil qu'il cachait sous son blouson.

– Parfait, déclara-t-elle. Eh bien, tu n'as qu'à me photographier la première, puisque c'est mon anniversaire. Attends une seconde… Voilà, comme ça. Qu'en dis-tu ?

Elle s'était adossée au cerisier qui se dressait au milieu de la pelouse, un bras replié derrière la tête, en imitant une actrice de cinéma.

Alex leva l'appareil dans sa direction.

– Tu y tiens vraiment ? demanda-t-il.

– Bien sûr. Allez, vas-y. Je veux qu'on photographie tout le monde, chacun son tour.

– Et tu n'as pas peur de ce que ça peut donner ?

– Mais non ! répondit Sarah d'un ton agacé. C'est justement ça qui sera drôle.

– Mais enfin, Sarah…

Sarah, toujours adossée à son arbre, commençait à s'énerver :

– Alors, tu la prends, cette photo ?

Alex la cadra soigneusement dans le viseur et appuya sur le déclencheur. Déclic. Flash. Puis, il y eut un léger bourdonnement et une pellicule encore opaque sortit de l'appareil.

– Dis donc, tu n'as pas invité d'autres garçons ? demanda Michael à Sarah.

– Non, dit-elle, rien que vous trois. Et neuf filles.

– Neuf filles ! gémit Michael en faisant la grimace.

Sarah le désigna du doigt en s'adressant à Alex :

– Prends-le donc en photo, avec sa belle chemise.

– Pas question ! s'écria aussitôt Michael en reculant, les mains levées devant son visage pour se protéger. La dernière fois que tu m'as photographié avec ce truc, je me suis cassé la figure.

En continuant de reculer, Michael entra en collision avec Nina Blake, l'une des amies de Sarah, qui fit un bond de côté en poussant un petit cri.

– Reviens, Michael, appela Sarah. Allez ! Laisse-toi photographier pour me faire plaisir. C'est mon anniversaire !

– Qu'est-ce que tu as prévu pour cet après-midi ? demanda Nina.

– J'ai pensé qu'on pourrait tous se prendre en photo et faire un jeu, ou quelque chose comme ça, répondit Sarah.

– Un jeu ? intervint Arthur. Se tourner les pouces, par exemple ?

Il y eut quelques rires.

– Le jeu de la vérité, proposa Nina.

– Oui, bonne idée ! approuvèrent deux autres filles.

« Oh non, pas ça ! » gémit Alex intérieurement. Le jeu de la vérité servait toujours de prétexte à des tas d'embrassades, de gages idiots. Avec neuf filles et seulement trois garçons, ça promettait !…

– Qu'est-ce que ça donne ? lui demanda Sarah en le prenant par le bras. Fais-moi voir.

Alex était tellement furieux à l'idée d'un jeu de la vérité, qu'il en avait oublié la photo qu'il tenait à la main. Il la tendit à Sarah.

– Mais… je n'y suis pas ! s'exclama-t-elle, les yeux écarquillés par la surprise. Qu'est-ce que tu as fichu ?

– Hein ? Quoi ?

Alex reprit la photo pour l'examiner. On y voyait le cerisier, mais pas Sarah.

– J'avais pourtant cadré sur toi, protesta-t-il. Tu étais juste au milieu.

– Eh bien, il faut croire que tu as raté ton coup, puisque je n'y suis pas ! répliqua Sarah avec une moue dégoûtée.

– Mais je te jure !…

– Voyons, Alex, je ne suis pas invisible. Je ne suis pas un vampire : les miroirs me renvoient mon image. Et d'habitude, sur les photos, je suis plutôt mignonne.

– Regarde donc, dit Alex. Il y a l'arbre contre lequel tu t'appuyais. Le tronc est parfaitement net. C'est bien l'endroit où tu te trouvais, non ?

– D'accord, mais je suis où, moi ? demanda Sarah. Bon, peu importe, tu n'as qu'à en prendre une autre. Et tout de suite.

Alex mit la photo dans sa poche. Il était perplexe.

Comment était-ce possible qu'on n'y voie pas Sarah ?

– Prends-la de plus près, cette fois, conseilla-t-elle.

Alex avança de quelques pas, cadra en prenant bien soin de centrer sur elle et prit la photo.

Sarah le rejoignit aussitôt et s'empara de la pellicule qui venait de sortir de l'appareil.

– J'espère que celle-ci sera mieux réussie, dit-elle en surveillant l'apparition des formes et des couleurs.

Puis, quelques instants après, elle s'écria :

– Eh… ce n'est pas possible !

Cette fois encore, elle n'était pas visible sur l'image. Il y avait le cerisier, parfaitement net et bien centré. Mais Sarah n'apparaissait nulle part.

– Si tu tiens vraiment à photographier tout le monde, il faudrait un autre appareil, fit remarquer Alex qui avait, lui aussi, les yeux fixés sur la photo.

– Tu as raison, dit-elle en la lui rendant avec un haussement d'épaules, cet appareil est déglingué. Et, si on ne se voit pas, ce n'est pas très drôle. Laissons tomber.

Elle se tourna vers les autres pour les appeler :

– Venez tous ! Le jeu de la vérité va commencer !

Il y eut des acclamations et quelques ronchonnements. Sarah entraîna tout le monde vers la forêt qui s'étendait au-delà de son jardin et les guida jusqu'à une petite clairière.

– Nous y serons plus tranquilles, expliqua-t-elle.

Le jeu s'avéra aussi pénible qu'Alex l'avait imaginé.

Des trois garçons, Arthur était le seul qui paraissait s'amuser. « C'est vrai qu'il adore les trucs idiots de ce genre », pensa Alex avec un peu d'envie.

Heureusement, à peine plus d'une demi-heure plus tard, il entendit madame Walker, la mère de Sarah, qui les appelait pour qu'ils viennent partager le gâteau d'anniversaire.

– Quel dommage, dit ironiquement Alex. Juste au moment où le jeu devenait intéressant !

Un instant plus tard, ils se retrouvèrent tous sur la terrasse, autour d'une table où était posé un superbe gâteau rose et blanc, avec toutes ses bougies allumées.

Un grand couteau à la main, madame Walker regarda autour d'elle.

– Où est Sarah ?

Tous se dévisagèrent, puis se tournèrent en direction du jardin.

– Il y a une minute, elle était encore avec nous dans la forêt, dit Nina.

– Eh, Sarah ! cria Arthur en mettant ses mains en porte-voix autour de sa bouche. La Terre appelle Sarah… La Terre appelle Sarah… C'est l'heure du gâteau !…

Pas de réponse. Rien.

– Elle est sans doute dans la maison, suggéra Alex.

Madame Walker secoua la tête.

– Non, je l'aurais vue passer. Elle est peut-être encore dans le bois ?

– J'y vais, dit Arthur.

Il traversa le jardin en courant et disparut entre les arbres, en criant à tue-tête le nom de Sarah.

Quelques minutes plus tard, il revint et fit signe qu'il ne l'avait pas trouvée.

Ils fouillèrent la maison, allèrent regarder dans la rue, repartirent dans la forêt.

Rien.

Sarah demeurait introuvable. Elle avait disparu.

18

Assis à l'ombre, le dos appuyé au tronc du cerisier, Alex avait posé l'appareil à côté de lui, dans l'herbe, et il observait les policiers en uniforme bleu foncé.

Certains fouillaient le jardin et d'autres la forêt. Il entendait leurs voix, mais sans parvenir à comprendre ce qu'ils disaient. Ils avaient l'air absorbé, soucieux.

D'autres policiers arrivèrent, en civil ou en uniforme, le visage grave. Et puis d'autres encore. Il y en avait partout.

Madame Walker avait prévenu son mari, qui était à son bureau. Tous deux étaient maintenant assis côte à côte sur les chaises en toile de la terrasse. Ils se tenaient la main, le visage pâle, l'air désemparé. Ils chuchotaient en jetant de fréquents coups d'œil en direction de la forêt.

Tous les invités étaient rentrés chez eux.

Sur la table, le gâteau était toujours là, intact. Les bougies s'étaient entièrement consumées et la cire rouge s'était mélangée, en coulant, au glaçage blanc et rose.

– Aucune trace, dit un policier au visage rougeaud en s'adressant aux parents de Sarah.

– Est-ce que quelqu'un aurait pu... l'enlever ? demanda monsieur Walker sans lâcher la main de sa femme.

– Il n'y a aucun signe de lutte, dit le policier en soulevant sa casquette pour se gratter le crâne. Aucun signe de quoi que ce soit, d'ailleurs.

Madame Walker baissa la tête en soupirant :

– Je n'y comprends vraiment rien.

Il y eut un long et pénible silence.

– Nous poursuivrons nos recherches tant qu'il le faudra, dit le policier. Je suis certain que nous finirons par trouver... quelque chose.

Il s'éloigna vers la forêt.

– Tiens, tu es encore là, toi ? s'exclama-t-il en s'arrêtant devant Alex. Tous tes copains sont rentrés chez eux.

– Ouais, je sais, dit Alex en prenant l'appareil-photo pour le poser sur ses genoux.

– Je suis le lieutenant Russel, se présenta le policier.

– Ouais, je sais, répéta Alex.

– Comment se fait-il que tu ne sois pas rentré chez toi, comme les autres ?

– Cette histoire me rend malade, répondit Alex. Sarah est une très bonne copine, vous comprenez ? De toute façon, j'habite la maison d'à côté.

– Eh bien, tu ferais mieux d'y aller, maintenant, dit Russel en se tournant vers la forêt, les sourcils froncés. Les recherches peuvent encore durer longtemps. Nous n'avons toujours rien trouvé.

– Je sais, murmura Alex en frottant machinalement l'appareil-photo du bout des doigts.

« Et je sais que c'est à cause de cet appareil que Sarah a disparu », pensa-t-il, complètement désemparé.

– Une minute avant de disparaître, elle était encore là, au milieu de vous… et puis, d'un seul coup, plus personne, dit le policier en scrutant le visage d'Alex comme s'il attendait une explication de sa part.

– Exactement, approuva Alex. C'est plutôt bizarre.

« Plus bizarre encore que ce policier ne peut l'imaginer, pensa-t-il.

D'abord, elle a disparu sur la photo.

Et puis, elle a disparu pour de bon, dans la réalité.

C'est cet appareil qui en est responsable. Je ne sais pas comment. Mais c'est bien lui. »

– Aurais-tu encore quelque chose à me dire ? l'interrogea Russel, les mains sur les hanches. As-tu remarqué quelque chose de particulier ? Quelque chose qui pourrait nous donner un indice, qui pourrait nous aider ? Quelque chose que tu aurais oublié de me dire auparavant ?

« Dois-je lui en parler ? se demanda Alex. Si je lui parle de cet appareil, il voudra savoir où je me le suis procuré. Il faudra lui expliquer notre expédition dans la maison Coffman. Et cela risque de nous attirer des tas d'ennuis. Seulement voilà, Sarah est introuvable.

Elle a disparu. C'est tout de même plus important. Je ferais mieux de tout lui raconter. »

Mais il hésitait encore. « Si je lui raconte tout, il ne me croira pas. Et d'ailleurs est-ce que ça permettrait à coup sûr de retrouver Sarah ? »

– Tu n'as pas l'air dans ton assiette, mon garçon, remarqua Russel en s'accroupissant à côté de lui. Comment t'appelles-tu, déjà ?

– Alex. Alex Banks.

– Tu as l'air bouleversé, Alex, dit doucement le policier. Pourquoi ne me dis-tu pas ce qui te préoccupe, ce que tu as derrière la tête ? Tu te sentirais beaucoup mieux.

Alex prit une profonde inspiration et leva les yeux vers la terrasse. Madame Walker avait le visage enfoui dans ses mains. Penché sur elle, son mari essayait de la réconforter.

– Eh bien, voilà… commença Alex.

– Je t'écoute, mon petit, l'encouragea Russel. Sais-tu où est Sarah ?

– C'est cet appareil-photo, lâcha Alex, qui sentit aussitôt les battements de son cœur s'accélérer. Cet appareil, eh bien, il a quelque chose d'anormal.

– Que veux-tu dire ? interrogea calmement le policier.

– J'avais photographié Sarah. C'était avant, je venais juste d'arriver. J'ai pris deux photos d'elle.

Mais elle n'était visible sur aucune de ces deux photos. Vous comprenez ?

Russel ferma les yeux, puis les rouvrit :

– Non, je ne comprends pas.

– Sarah était invisible sur les photos. Tout le reste y était, mais pas elle. C'était comme si elle avait disparu. Et par la suite, elle a disparu pour de vrai. Cet appareil, on dirait qu'il montre ce qui va se passer... ou bien qu'il provoque des choses terribles.

Alex prit l'appareil et le tendit au policier. Mais celui-ci ne fit pas mine de le prendre. Il observa fixement Alex, qui se sentait de plus en plus mal à l'aise.

Le regard du policier semblait fouiller à l'intérieur de son crâne.

Alex prit peur. « Pourquoi me regarde-t-il de cette façon ? Que va-t-il me faire ? »

Alex tendait toujours l'appareil au policier. Mais celui-ci n'y toucha pas et se releva rapidement.

– Alors, comme ça, cet appareil provoquerait des choses terribles, dit-il d'une voix posée, son regard rivé sur celui d'Alex.

– Je crois bien, oui. Cet appareil n'est pas à moi, vous savez. Et chaque fois que je prends une photo…

– N'en dis pas plus, mon garçon, coupa Russel en prenant un air compatissant. Tu as subi une forte émotion et tu es encore sous le choc. C'est une histoire très pénible pour tout le monde…

– Mais je vous dis la vérité ! s'écria Alex.

– Je vais demander à l'un de mes collègues de te raccompagner chez toi, continua Russel. Il faudra qu'il dise à tes parents que tu viens de vivre quelque chose qui t'a beaucoup perturbé.

« Je savais bien qu'il ne voudrait pas me croire, pensa Alex avec amertume. Comment ai-je pu me montrer aussi stupide ? Maintenant, le voilà convaincu que j'ai perdu les pédales. »

Russel fit un signe à un policier qui se trouvait près de la maison.

– Non, ce n'est pas la peine, dit Alex en se mettant debout, l'appareil à la main. Je peux rentrer chez moi tout seul.

Russel le considéra d'un air inquiet :

– Tu es sûr ?

– Oui, oui, ça ira. Je vous remercie.

– Eh bien, si plus tard tu as quelque chose à me dire, appelle-moi au poste de police. D'accord ?

– D'accord, répondit Alex en se dirigeant à pas lents vers son jardin.

– Ne te fais pas de bile, Alex, fit la voix de Russel dans son dos. Nous la retrouverons. Débarrasse-toi de cet appareil-photo et prends un peu de repos.

– Okay, marmonna Alex.

« Quel idiot je fais ! se dit-il en allant chez lui. Je ne sais pas comment j'ai pu penser que ce policier croirait à une histoire aussi dingue ! »

Quelques minutes plus tard, il poussait la porte de derrière de sa maison et pénétrait dans la cuisine.

– Il y a quelqu'un ? appela-t-il.

Pas de réponse.

Il sortit dans le vestibule qui menait au salon et appela encore. Mais sans plus de succès. À cette heure-ci, William travaillait. Et sa mère devait être allée voir son père à l'hôpital.

Alex se sentit désemparé à l'idée de se retrouver seul. Il aurait bien voulu leur raconter ce qui était arrivé à Sarah. Il avait besoin de leur parler.

Il monta l'escalier pour gagner sa chambre, l'appareil toujours à la main.

En ouvrant sa porte, il resta un bref instant bouche bée, figé par la stupeur. Puis il poussa un cri d'horreur.

Tout était sens dessus dessous. Ses livres étaient éparpillés sur le sol. Les couvertures avaient été arrachées du lit. Les tiroirs de la commode étaient ouverts et leur contenu répandu à travers la pièce. La lampe de son bureau était renversée. Tous ses vêtements avaient été sortis des placards et jetés un peu partout.

Quelqu'un était venu fouiller sa chambre.

« Qui a bien pu faire une chose pareille ? se demanda Alex en considérant avec accablement la pagaille qui régnait dans sa chambre. Et pour quelle raison ? »

Il se rendit compte presque aussitôt qu'il connaissait la réponse à ces questions. Il savait qui avait fait cela. Il en était certain.

Il s'agissait de quelqu'un qui cherchait l'appareil-photo. Quelqu'un qui tenait absolument à le récupérer.

L'Araignée !

Il avait observé Alex, le jour du match de base-ball, il l'avait espionné. Maintenant, il savait qu'Alex avait son appareil. Et il savait aussi où il habitait.

À cette pensée, le garçon sentit son sang se glacer.

L'Araignée savait où il habitait !

Pour échapper à la vision de sa chambre dévastée, Alex sortit sur le palier. Il s'adossa au mur et ferma les yeux.

Il se représentait l'Araignée et sa sombre silhouette à la démarche inquiétante. Il l'imaginait
s'introduisant dans la maison, montant l'escalier sur
ses longues jambes, puis pénétrant dans sa chambre…
Quelle horreur !…

« Il est venu ici, se dit Alex. Il a fouillé mes
affaires, tout mis sens dessus dessous. »

Alex revint dans sa chambre. Il se sentait terri-
blement angoissé. Il avait l'impression qu'il allait
brusquement exploser, se mettre à hurler, appeler au
secours.

Mais il était seul. Il n'y avait personne pour
l'entendre, personne pour lui venir en aide.

« Et maintenant ? se demanda-t-il. Que faut-il
faire maintenant ? »

Soudain, appuyé au chambranle de la porte, les
yeux fixés sur ses affaires répandues pêle-mêle à
travers la chambre, il réalisa qu'il savait parfaitement ce qu'il avait à faire.

21

– Salut, Arthur, c'est moi.

Alex tenait le téléphone d'une main et de l'autre il essuyait la sueur qui lui couvrait le front. Jamais il n'avait travaillé aussi dur et aussi rapidement. Sa chambre était maintenant en ordre. Il avait tout rangé, tout nettoyé. Sa mère ne se douterait pas de ce qui s'était passé.

– Ils ont retrouvé Sarah ? demanda aussitôt Arthur.

– Je ne crois pas, je n'ai aucune nouvelle. Écoute, Arthur, ce n'est pas à ce sujet que je te téléphone. Appelle Michael et venez me rejoindre au terrain de sport.

– Quand ? Maintenant ? demanda Arthur d'un ton embarrassé.

– Oui, tout de suite. Il faut qu'on se voie. C'est important.

– Mais c'est presque l'heure du dîner, protesta Arthur. Je ne suis pas sûr que mes parents…

– C'est important, je t'assure, insista Alex. Il faut absolument qu'on se voie. D'accord ?

– Bon… je vais essayer de filer en douce, accepta Arthur.

– N'oublie pas de prévenir Michael.

– D'accord. À tout de suite.

Alex raccrocha et resta un instant immobile, l'oreille tendue, en guettant le retour de sa mère. Mais tout était silencieux dans la maison. Elle ne devait certainement pas être au courant de ce qui était arrivé à Sarah. Alex savait que ses parents seraient bouleversés par sa disparition, autant que lui.

Il alla jusqu'à la fenêtre de sa chambre pour jeter un coup d'œil dans le jardin des Walker. Il n'y avait plus personne. Les policiers étaient tous partis. Et les parents de Sarah devaient être rentrés. Un écureuil sortit du bois et s'aventura sur la pelouse en sautillant. Il s'arrêta près du cerisier et se mit à grignoter quelque chose.

En se penchant à sa fenêtre, Alex regarda la terrasse.

Le gâteau était toujours sur la table, avec ses bougies consumées.

L'anniversaire d'un fantôme !

Alex frissonna.

– Sarah est vivante, dit-il à haute voix. Elle est vivante et on va la retrouver !

Il savait maintenant ce qu'il avait à faire.

Il referma la fenêtre, sortit de sa chambre et dévala l'escalier pour aller retrouver ses amis.

22

– Pas question, dit Arthur avec vigueur. Tu es complètement cinglé !

Alex, qui tenait l'appareil-photo par sa courroie, se tourna vers Michael. Mais celui-ci évita son regard et se contenta de marmonner :

– Je suis d'accord avec Arthur.

En cette fin de journée, à l'heure du dîner, le terrain de sport était presque désert.

– Je pensais que vous accepteriez de venir avec moi, dit Alex désappointé, en donnant un coup de pied dans une touffe d'herbe. Il faut que j'aille rendre cet appareil. Je dois le remettre là où je l'ai trouvé.

– Pas question, répéta Arthur en secouant la tête. Je ne remettrai jamais les pieds dans la maison Coffman. Une seule fois m'a suffi.

– Tu as la trouille ? demanda ironiquement Alex.

– Eh oui, admit Arthur.

– Tu n'as pas besoin de le rapporter là-bas, intervint Michael.

– Que veux-tu dire ? demanda Alex d'un ton agacé, en continuant de donner des coups de pied dans l'herbe.

– Tu n'as qu'à t'en débarrasser n'importe où. Jette-le dans une poubelle, par exemple.

– Il a raison, renchérit Arthur. Tu peux le laisser ici. Tiens, donne-le-moi, je vais aller le cacher sous un banc.

– Vous ne comprenez pas, dit Alex en serrant l'appareil contre lui pour empêcher Arthur de le prendre. Le mettre n'importe où ne réglerait pas le problème. Au contraire.

– Pourquoi donc ? demanda Arthur en faisant une seconde tentative pour s'emparer de l'appareil.

– L'Araignée veut à tout prix le récupérer. Il reviendra fouiller ma chambre. Il me poursuivra partout, j'en suis sûr.

– Mais on risque de se faire prendre en allant le remettre, protesta Michael.

– C'est vrai, ça, approuva Arthur. Imagine que l'Araignée soit dans la maison Coffman et qu'il nous tombe dessus !...

– Mettez-vous à ma place ! s'écria Alex, exaspéré. Il sait où j'habite. Il est venu chez moi, dans ma chambre ! Il veut récupérer cet appareil et...

– Laissons-le ici, l'interrompit Arthur. Nous n'avons pas besoin de retourner dans cette maison. Il finira bien par le retrouver.

Il tendit le bras d'un geste rapide et saisit l'appareil.

Alex tira sur la courroie pour essayer de lui faire lâcher prise. Mais Arthur tenait bon. Il déplaça légèrement ses doigts en tirant de son côté.

Il y eut un déclic et un flash.

– Oh non ! cria Alex.

Un léger bourdonnement se fit entendre et une pellicule sortit de l'appareil.

– Oh non ! répéta Alex en fixant d'un air horrifié la surface opaque sur laquelle des formes colorées commençaient à faire lentement leur apparition. C'est moi que tu as pris !

D'une main tremblante, il s'empara de la photo.

23

– Excuse-moi, dit Arthur. Je ne voulais pas…

Avant qu'il ait pu terminer sa phrase, une voix lança derrière lui :

– Eh, dites donc, qu'est-ce que vous avez là, les gars ?

Alex leva les yeux de la photo. Deux adolescents s'avançaient vers eux, l'air menaçant, les yeux fixés sur l'appareil.

Il les reconnut immédiatement : Joe Chaland et Tom Ward, deux élèves de troisième, toujours en train de traîner n'importe où ensemble.

Les deux jeunes gens étaient plutôt grands pour leur âge. Tout le monde savait qu'ils terrorisaient les petits et cherchaient la bagarre. Pourtant, ils n'avaient jamais eu d'ennuis de ce côté-là.

Joe était blond, avec des cheveux coiffés en brosse et un faux diamant incrusté dans une oreille. Tom avait un visage parsemé de taches de rousseur, encadré de longs cheveux noirs qui lui retombaient sur les épaules. Un cure-dents était constamment fiché entre ses dents. L'un comme l'autre étaient vêtus d'un jean et d'un tee-shirt constellé de pin's.

– Bon… eh bien moi, il faut que je rentre, dit rapidement Arthur.

– Moi aussi, dit Michael d'une voix mal assurée.

Alex glissa la photo dans l'une des poches de son pantalon.

– Dis donc, c'est à moi, ce truc-là, dit Joe en arrachant l'appareil des mains d'Alex, qu'il fixa de ses yeux gris pour guetter sa réaction. Merci, mon vieux.

– Rends-le-moi, Joe, dit Alex d'une voix suppliante.

– Ouais, Joe, tu n'as pas le droit d'y toucher, lança Tom à son ami en lui prenant l'appareil d'un geste vif. Tu sais bien que c'est le mien !

– Rends-le-moi, répéta Alex en haussant le ton. D'ailleurs, il n'est pas à moi.

– Je le sais bien qu'il n'est pas à toi, répliqua Tom avec un sourire sarcastique, puisqu'il m'appartient.

– Il faut que je le rende à son propriétaire, insista Alex en s'efforçant de parler calmement, malgré le tremblement de sa voix.

– Maintenant, ricana Tom, c'est moi, le propriétaire.

– Laisse-le donc prendre ce truc, chuchota Michael à l'oreille d'Alex. Tu voulais t'en débarrasser, non ?

– Pas de cette façon, protesta Alex.

– T'as un problème, gros lard ? demanda Joe à Michael.

– Non, non, pas de problème, répondit Michael avec empressement.

– Eh, Joe, un petit sourire ! lança Tom en braquant l'appareil vers son ami.

– Ne fais pas ça ! s'écria Arthur.

– Et pourquoi je le ferais pas ? C'est toi qui vas m'en empêcher ?

– Écoutez, les gars, supplia Alex, il faut vraiment que je rende cet appareil. Il n'est vraiment pas à moi. Et, de toute façon, il ne marche pas.

– Ça, c'est vrai, renchérit Michael. Il est complètement déglingué.

– Ah oui ? dit Tom en ricanant. Eh bien, nous allons voir.

Il pointa de nouveau l'appareil vers Joe.

– Allez, un petit sourire, Joe ! lança-t-il.

« Non, se dit Alex, je ne peux pas les laisser faire ça. Il faut que je ramène cet appareil dans la maison Coffman, que je le rende à l'Araignée. »

Il bondit en avant et l'arracha des mains de Tom, sans que celui-ci ait le temps de réagir.

– Allons-y, vite ! cria-t-il à Arthur et à Michael.

Les trois amis se mirent à courir à travers la pelouse du terrain de sport, en direction de la rue. Le cœur battant à tout rompre, Alex serrait l'appareil-photo contre lui, filant de toute la vitesse dont il était capable.

« Ils vont nous rattraper, pensa-t-il, le souffle court, en approchant de la rue. Ils vont nous rattraper, nous réduire en bouillie. Et ils vont reprendre l'appareil. C'est fichu ! »

Alex et ses deux amis n'osèrent se retourner qu'une fois parvenus de l'autre côté de la rue. Ils poussèrent alors un cri de surprise.

Joe et Tom n'avaient pas bougé. Ils étaient toujours au même endroit, sur le terrain de sport.

– On se reverra plus tard ! leur lança Joe.

– Ouais, plus tard, répéta Tom.

Et ils éclatèrent de rire, comme s'ils venaient de faire une excellente plaisanterie.

– Dis donc, on s'est bien débrouillés ! haleta Michael.

– Oui, mais ils ont raison, dit Arthur en fronçant les sourcils. Ils finiront tôt ou tard par nous tomber dessus.

– C'est du bluff, répliqua Alex. Ces types-là essaient juste de nous faire peur !

– Ah oui ? s'écria Michael. Alors, pourquoi sommes-nous partis aussi vite ?

– Uniquement pour ne pas arriver en retard à la maison, plaisanta Arthur. D'ailleurs, il faut que je me dépêche, si je ne veux pas avoir d'ennuis avec mes parents.

– Et l'appareil-photo ? protesta Alex.

– Il est trop tard maintenant, dit Michael en se passant nerveusement une main dans les cheveux.

– C'est vrai, approuva Arthur. Nous en reparlerons demain.

– Alors, demain, vous viendrez avec moi ? demanda Alex.

– Euh… il faut que je file, dit Arthur en se gardant bien de répondre.

– Moi aussi, déclara Michael qui évitait le regard d'Alex.

Le terrain de sport était à présent désert. Joe et Tom avaient disparu, sans doute à la recherche d'autres victimes.

– À plus tard ! lança Arthur en s'éloignant.

Michael lui emboîta le pas et Alex partit de son côté.

C'est seulement en arrivant devant chez lui qu'Alex se souvint de la photographie qu'il avait glissée dans la poche de son jean. Il s'arrêta dans l'allée qui menait à la porte de la maison et sortit la photo.

Le soleil commençait à disparaître derrière le garage.

Alex dut approcher le cliché de son visage pour bien le voir.

– Nom d'un chien ! C'est pas vrai ! s'écria-t-il.

24

– C'est pas vrai ! répéta Alex à haute voix, les yeux fixés sur la photo qu'il tenait d'une main légèrement tremblante.

Comment Sarah pouvait-elle être présente sur ce cliché, puisque celui-ci n'avait été pris que quelques minutes auparavant, là-bas sur le terrain de sport ?

Pourtant, c'était bien Sarah qui se tenait debout à côté d'Alex. On distinguait nettement les contours géométriques du terrain de base-ball. Et devant, au premier plan, c'était bien eux, côte à côte, Alex et Sarah.

Tous deux avaient les yeux écarquillés, la bouche ouverte. Le visage figé par une expression d'intense horreur, ils regardaient une grande ombre qui s'avançait vers eux.

– Sarah ! s'écria Alex en regardant autour de lui. Tu es là ? Tu m'entends ?

Silence. Il essaya de nouveau :

– Sarah ? Tu es là ?

– Alex ! appela une voix.

Alex sursauta violemment.

– Hein ? Quoi ? balbutia-t-il.

– Alex ! reprit la voix.

C'est alors seulement qu'il comprit que cette voix venait de l'intérieur de la maison : c'était sa mère qui l'appelait.

– Je suis là, Maman, j'arrive, répondit-il en remettant la photo dans sa poche.

Il se sentait un peu ridicule.

– Où étais-tu passé ? lui demanda sa mère quand il entra dans la maison. J'étais inquiète. Je suis au courant pour Sarah.

– Excuse-moi, Maman, dit Alex. Je… j'aurais dû te laisser un mot.

Il éprouvait une impression bizarre, une sorte de profond malaise, où se mêlaient tristesse, angoisse et perplexité.

En rentrant du collège deux jours plus tard, Alex monta directement dans sa chambre. Il ne cessait d'aller et venir de la porte à la fenêtre, comme un ours en cage.

Dehors, le ciel était couvert de nuages gris, l'atmosphère était chaude et brumeuse. Il était seul à la maison. William était chez son glacier, pour ses quelques heures de travail quotidien. Et madame Banks était allée à l'hôpital chercher son mari, qu'on avait enfin autorisé à rentrer chez lui.

Alex se réjouissait du retour de son père. Mais cela ne l'empêchait pas d'être profondément déboussolé par tout ce qui s'était passé depuis quelques jours.

Et surtout, il avait peur. Très peur.

Sarah n'avait toujours pas été retrouvée.

Les policiers n'y comprenaient rien. Selon leurs dernières conclusions, il devait s'agir d'un enlèvement.

Les parents de Sarah vivaient dans l'angoisse et montaient la garde devant leur téléphone, dans l'attente d'un appel des ravisseurs. Mais en vain.

Il n'y avait pas le moindre indice, pas de trace. Rien. On ne pouvait qu'attendre. Et espérer.

Plus le temps passait, plus Alex se sentait coupable.

Il était certain, lui, que Sarah n'avait pas été enlevée. Il savait que, d'une manière ou d'une autre, l'appareil-photo était responsable de sa disparition.

Seulement, il ne pouvait en parler à personne. Car personne ne le croirait. On le prendrait pour un fou.

Un appareil-photo est un objet inoffensif. Comment imaginer qu'il puisse provoquer la chute de quelqu'un dans un escalier, ou un accident de voiture ? Ou une disparition ?

Un appareil-photo ne peut que reproduire ce qu'il voit.

Alex s'arrêta devant la fenêtre, appuya son front contre la vitre et regarda dans le jardin voisin.

– Où est-ce que tu es, Sarah ? interrogea-t-il à haute voix, fixant le cerisier devant lequel il l'avait photographiée.

L'appareil était toujours dans le compartiment secret de son lit. Ni Arthur ni Michael n'avait accepté d'accompagner Alex pour le rapporter dans la maison Coffman. D'ailleurs, il avait finalement décidé de le garder encore un certain temps, au cas où il aurait besoin de preuves. Au cas où il se déciderait à confier ses appréhensions à quelqu'un.

Au cas où...

Ce qu'il craignait le plus, c'était que l'Araignée revienne, qu'il revienne chez lui, dans sa chambre, pour récupérer l'appareil. Une idée qui n'avait rien de rassurant.

Il s'éloigna de la fenêtre. Depuis deux jours, il avait passé là beaucoup de temps, à regarder dans le jardin désert de Sarah et à réfléchir.

Avec un soupir, il alla jusqu'au compartiment secret et sortit deux des photographies qu'il y avait cachées avec l'appareil.

C'étaient les deux photos qui avaient été prises le samedi précédent, le jour de l'anniversaire de Sarah.

Il les examina attentivement, dans l'espoir d'y découvrir un élément nouveau, quelque chose qu'il n'aurait pas encore remarqué.

Mais il n'y avait rien de changé. Sur l'une comme sur l'autre, c'était la même image, avec le cerisier, la pelouse ensoleillée. Et l'absence de Sarah. Comme si la photo avait été prise à travers elle.

Alex secoua la tête avec accablement.

Si seulement il n'avait pas mis les pieds dans la maison Coffman.

Si seulement il n'avait pas dérobé cet appareil.

Si seulement il ne s'en était pas servi.

Si seulement... si seulement... si seulement...

Tout à coup, avant même de réaliser ce qu'il faisait, Alex déchira les deux photos en petits morceaux qu'il laissa tomber à ses pieds, sur le sol de sa chambre.

Après quoi, le cœur battant à tout rompre, il se jeta sur son lit, à plat ventre, et ferma les yeux, en attendant que le sang cesse de lui marteler les tempes et que sa respiration redevienne normale, attendant surtout que ces sentiments d'angoisse et de culpabilité disparaissent.

Deux heures plus tard, la sonnerie du téléphone le fit sursauter.

C'était Sarah.

25

– Sarah ! C'est vraiment toi ?

Alex avait presque hurlé dans le téléphone.

– Eh bien oui, c'est moi, répondit son amie.

– Mais comment as-tu pu... enfin, comment... bégaya Alex qui cherchait ses mots sans trop savoir que dire.

– Ne quitte pas, un instant, l'interrompit Sarah.

Alex l'entendit s'éloigner du téléphone et s'adresser à sa mère : « Voyons, Maman, il ne faut pas pleurer comme ça... je suis rentrée, tout va bien... »

Quelques secondes plus tard, elle revint en ligne :

– Je suis rentrée il y a deux heures et, depuis, Maman n'arrête pas de pleurer.

– Tu sais, moi aussi j'ai un peu envie de pleurer, avoua Alex. Je... je n'arrive pas à y croire. Où étais-tu ?

Il y eut un long silence au bout de la ligne, puis Sarah répondit :

– Je ne sais pas.

– Hein ?

– Je n'en sais rien, je t'assure. C'est complètement fou ! À un moment, j'étais dans le jardin, derrière la maison. L'instant d'après, je me suis retrouvée sur le trottoir, devant chez moi, mais deux jours plus tard. Je ne me rappelle pas être partie. Ni être allée quelque part. Je ne me rappelle rien du tout.

– Mais ces photos que j'ai prises de toi, tu t'en souviens ? On ne t'y voyait pas, comme si tu avais été invisible. Et ensuite…

– Et ensuite, j'ai disparu, acheva Sarah.

– Tu crois que…

– Je ne sais pas, dit Sarah en soupirant. Maintenant, il faut que je te quitte. La police est là. Ils veulent m'interroger. Qu'est-ce que je vais pouvoir leur dire ? Ils vont penser que je suis amnésique, droguée, ou un truc de ce genre.

– Il faut absolument que je te voie pour que nous parlions de cet appareil, insista Alex.

– Pour l'instant, je ne peux pas, dit Sarah. Demain, peut-être. D'accord ? À bientôt, Alex.

Et elle raccrocha.

Alex en fit autant, mais resta immobile, les yeux fixés sur le téléphone.

Sarah était donc revenue. Elle était revenue deux heures auparavant.

Deux heures ?… Alex regarda le radio-réveil qui était posé à côté du téléphone. Deux heures auparavant, très précisément, il avait déchiré les deux photos sur lesquelles Sarah était invisible.

Tout à coup une foule d'idées se mirent à tourbillonner dans sa tête, des idées qu'il avait du mal à saisir et à maîtriser.

Avait-il fait revenir Sarah en déchirant ces photos ?

Cela voulait-il dire que l'appareil avait *provoqué* sa disparition ? Que l'appareil avait *provoqué* toutes ces choses terribles que montraient ses photographies ?

Alex réfléchit ainsi longuement, le regard toujours fixé sur le téléphone. Il savait ce qu'il devait faire. Il fallait d'abord qu'il parle à Sarah. Et puis, il fallait qu'il aille rapporter cet appareil.

Sarah et Alex se retrouvèrent le lendemain après-midi sur le terrain de sport. Le soleil brillait dans un ciel sans nuage. Une dizaine de garçons de leur âge se disputaient un ballon de football sur la pelouse.

– À première vue, on dirait que c'est toi ! lança Alex à Sarah en la voyant arriver.

Il lui pinça le bras et ajouta :

– Pas de doute, c'est bien toi. Comment te sens-tu ?

– Ça va, dit-elle sans sourire, en se frottant le bras. Je suis seulement un peu fatiguée. Pendant des heures, les policiers n'ont pas arrêté de me poser des tas de questions. Et quand ils se sont enfin décidés à me laisser tranquille, mon père et ma mère se sont mis à m'interroger à leur tour.

– Désolé de t'embêter moi aussi, dit Alex en regardant ses chaussures.

– On dirait que mes parents pensent que c'est plus ou moins de ma faute si j'ai disparu, reprit Sarah en secouant la tête.

– C'est de la faute de l'appareil-photo, murmura Alex en levant les yeux sur elle.

Sarah haussa les épaules :

– Peut-être. Je ne sais pas trop quoi penser.

Il lui montra la photo où ils étaient tous deux côte à côte sur le terrain de sport, fixant d'un air effrayé une grande ombre qui s'avançait vers eux.

– Quelle horreur ! s'écria Sarah en se penchant pour mieux voir.

– Je veux rapporter cet appareil dans la maison Coffman, dit Alex d'un ton résolu. Je peux aller le chercher tout de suite chez moi. Tu veux bien m'aider ? Tu veux bien venir avec moi ?

Sarah s'apprêtait à répondre, mais soudain, elle se figea sur place. Glissant silencieusement sur la pelouse, une grande ombre s'approchait d'eux.

Presque aussitôt, ils virent l'homme qui projetait cette ombre, un homme entièrement vêtu de noir, qui s'avançait dans leur direction sur ses longues jambes, des jambes maigres.

L'Araignée !

Paralysé par la peur, Alex agrippa le bras de Sarah.

26

Alex fut parcouru d'un frisson glacé en comprenant soudain ce qui se passait : la photo était en train de devenir réalité.

La sombre silhouette de l'Araignée se rapprochait de plus en plus… Alex tira brusquement Sarah par le bras.

– On fiche le camp, vite ! hurla-t-il d'une voix aiguë qu'il ne reconnut pas.

Ils détalèrent à toutes jambes en direction de la rue.

Sans cesser de courir, Alex osa risquer un coup d'œil par-dessus son épaule. L'Araignée gagnait du terrain.

– Plus vite, il va nous rattraper ! cria-t-il à Sarah d'une voix haletante.

L'Araignée, le visage caché par la visière d'une casquette noire, se déplaçait à une vitesse surprenante.

On aurait dit une immense tarentule à la poursuite de sa proie.

– Il va nous rattraper ! cria de nouveau Alex, qui se demandait si sa poitrine n'allait pas éclater. Il est... trop... rapide !

L'Araignée se rapprochait toujours, il était plus près, de plus en plus près.

Sarah et Alex atteignaient le trottoir lorsque le hurlement d'un klaxon les fit s'arrêter net.

Alex tourna la tête et reconnut un visage familier, dans une petite voiture rouge. C'était Jérémie Bretton, qui habitait en face de chez lui.

– Ce type vous poursuit ? demanda l'homme penché à sa portière.

Sans attendre de réponse, il fit une rapide marche arrière en direction de l'Araignée, auquel il lança :

– Fichez le camp, sinon j'appelle les flics !

L'Araignée fit aussitôt demi-tour et s'éloigna rapidement.

– Ça va mieux, les enfants ? demanda Jérémie.

– Oui, je vous remercie, réussit à prononcer Alex, qui avait du mal à reprendre son souffle.

– J'ai déjà vu ce type rôder par ici, dit l'homme, les yeux fixés sur la haie derrière laquelle l'Araignée avait disparu. Je n'aurais jamais cru qu'il pouvait être dangereux. Vous voulez que j'appelle la police ?

– Non, ce n'est pas la peine, répondit Alex.

« Dès que je lui aurai rendu son appareil-photo, pensa-t-il, il cessera de nous courir après. »

– Comme vous voulez. Mais soyez prudents, conseilla l'homme. Je peux vous déposer quelque part ?

– Non, ça ira, répondit Alex. Je vous remercie beaucoup.

Jérémie Bretton les salua, puis démarra en trombe dans un crissement de pneus.

– Nous l'avons échappé belle, dit Sarah. Pourquoi nous poursuivait-il ?

– Il devait croire que j'avais son appareil sur moi et il voulait le récupérer, répondit Alex. Si tu veux bien m'aider, retrouvons-nous demain à trois heures devant la maison Coffman. D'accord ?

Sarah le dévisagea sans répondre, l'air pensif, préoccupé.

– Nous serons en danger tous les quatre aussi longtemps que nous garderons cet appareil de malheur ! insista Alex.

– Eh bien, d'accord, dit Sarah en hochant la tête. À demain.

27

Une galopade furtive se fit entendre dans les hautes herbes.

– Qu'est-ce que c'est ? chuchota nerveusement Sarah. C'est trop gros pour être un écureuil.

– Peut-être un chien, dit Alex en s'arrêtant pour observer la maison Coffman qui dressait sa silhouette inquiétante devant eux.

Il serrait l'appareil-photo des deux mains, comme s'il craignait de le faire tomber.

Il était un peu plus de trois heures et l'après-midi était lourd et brumeux. D'énormes nuages sombres, chargés de pluie, passaient dans le ciel en projetant des ombres sur la vieille bâtisse.

– Il va y avoir un orage, dit Sarah. Nous ferions bien de nous dépêcher.

– Tu as raison.

Alex jeta un coup d'œil au ciel qui s'obscurcissait de plus en plus.

Il y eut un grondement de tonnerre dans le lointain.

Les vieux arbres qui masquaient en partie la façade de la maison étaient agités de brefs tremblements, comme s'ils frissonnaient.

– Tu as raison, répéta Alex, mais nous ne pouvons pas entrer là-dedans sans nous assurer que l'Araignée n'y est pas.

Traversant les hautes herbes et les broussailles, ils s'avancèrent jusqu'à l'une des fenêtres qui encadraient la porte d'entrée et plongèrent leur regard à l'intérieur. Il y eut un autre grondement de tonnerre.

Alex crut apercevoir un animal se faufiler dans la végétation, à deux pas de l'angle de la façade.

– Il fait trop sombre, chuchota Sarah. Je ne vois rien du tout.

– Allons plutôt jeter un coup d'œil au sous-sol, proposa Alex. C'est là que se tient l'Araignée, souviens-toi.

Ils firent le tour de la maison et allèrent s'agenouiller devant l'une des fenêtres situées au pied du mur.

La vitre était couverte de poussière et le ciel s'assombrissait de plus en plus. Mais ils distinguèrent nettement la table en contre-plaqué, et l'armoire, dont les portes étaient toujours grandes ouvertes.

– Il n'a pas l'air d'être là, chuchota Alex. Allons-y.

– Tu… t'en es bien sûr ? balbutia Sarah.

Elle voulait se montrer courageuse. Mais la pensée de se faire surprendre la terrifiait.

« Michael et Arthur sont des trouillards, se dit-elle. Mais ils n'ont pas forcément tort. »

Elle avait hâte que tout cela soit terminé une fois pour toutes.

Un instant plus tard, Alex et Sarah franchissaient le seuil de la porte d'entrée. Ils firent quelques pas dans l'obscurité, puis s'immobilisèrent. Ils tendirent l'oreille.

Soudain, il y eut derrière eux un bruit assourdissant qui les fit violemment sursauter.

28

Sarah fut la première à retrouver l'usage de la parole.

– C'est seulement la porte ! s'écria-t-elle. Le vent…

– Allons-y, qu'on en finisse, chuchota Alex en s'efforçant de maîtriser le tremblement de sa voix.

– Nous n'aurions jamais dû nous introduire dans cette maison, murmura Sarah, tandis qu'ils s'avançaient sur la pointe des pieds en direction de l'escalier du sous-sol.

– C'est un peu tard pour s'en rendre compte, répliqua Alex.

Arrivé en haut des marches, il s'immobilisa de nouveau :

– Qu'est-ce que c'est que ces bruits, au premier étage ?

Au-dessus de leur tête, en effet, des coups sourds se faisaient entendre à intervalles réguliers.

– Des volets ? suggéra-t-il.

– Oui, certainement, s'empressa de dire Sarah avec un soupir de soulagement. Il y en a qui sont à moitié arrachés.

Toute la maison semblait gémir, et dehors le tonnerre grondait.

Immobiles sur le palier, ils attendaient que leurs yeux s'habituent à l'obscurité.

– Tu ne crois pas qu'on pourrait laisser l'appareil ici et ficher le camp ? demanda Sarah.

– Non, il faut le remettre à sa place.

– Mais enfin, Alex…

– Non, pas question ! Ce type est venu *dans ma chambre* ! Il a tout mis sens dessus dessous pour essayer de récupérer cet appareil. Je veux qu'il le retrouve là où il l'avait caché. Sinon, il reviendra chez moi, j'en suis sûr !

– D'accord, d'accord. Mais dépêchons-nous !

Il faisait un peu plus clair dans la pièce du sous-sol grâce à la lumière grisâtre qui filtrait à travers les fenêtres. Dehors, le vent soufflait avec violence contre les vitres poussiéreuses. Un éclair illumina brièvement les murs. La vieille maison gémissait comme pour protester contre les assauts de l'orage.

– Tu as entendu ? dit Sarah en s'immobilisant au milieu de la pièce. On aurait dit des pas.

– Mais non, c'est seulement les bruits de la maison.

Le léger tremblement de sa voix révélait pourtant que lui-même n'était pas très rassuré. Il s'arrêta pour écouter.

Boum. Boum. Boum.

Quelque part sur la façade de la maison, un volet continuait de battre en cadence.

– Où est-ce que tu l'as trouvé, cet appareil ? demanda Sarah en suivant Alex qui se dirigeait vers le fond de la pièce.

– C'est ici, dit-il en s'arrêtant devant l'établi. Quand j'ai voulu desserrer l'étau, une petite porte s'est ouverte. C'est une sorte de placard secret. C'est là qu'était caché l'appareil.

Il pesa sur la manivelle de l'étau, qui bascula en grinçant.

Et, comme la fois précédente, le volet du petit placard encastré dans le mur s'ouvrit aussitôt.

– Ça marche, chuchota-t-il en adressant un grand sourire à Sarah.

Il déposa l'appareil-photo dans le placard et s'empressa de refermer le volet avec un soupir de soulagement.

Il se sentit immédiatement beaucoup mieux, beaucoup plus léger, comme s'il venait de se débarrasser d'un grand poids.

La maison résonnait de gémissements et de craquements. Mais maintenant, Alex ne s'en souciait plus.

Un autre éclair, plus violent celui-là, illumina les murs comme un flash.

– Allez, on s'en va ! chuchota-t-il.

Il se dirigea derrière la chaudière, vers le second escalier qui leur avait permis de s'échapper la première fois. Après avoir grimpé quelques marches, il s'arrêta en jurant :

– Mince ! La porte est condamnée.

Deux planches en bois étaient clouées sur les battants, empêchant toute sortie.

– Ça ne fait rien ! dit Sarah. Viens, on reprend l'autre !

Ils réempruntèrent l'escalier principal, Alex derrière Sarah, lorsque, soudain, l'Araignée leur bloqua le passage.

29

Alex secoua la tête en clignant des yeux, comme pour chasser l'image de cette silhouette menaçante.

– Au secours ! hurla Sarah, avec un mouvement de recul qui la fit basculer en arrière contre Alex.

Par chance, elle réussit de justesse à rétablir son équilibre, ce qui leur évita d'aller rouler tous les deux au pied des marches.

Un éclair illumina le sous-sol et l'escalier. Mais la silhouette immobile qui se dressait au-dessus d'eux resta dans l'ombre.

– Laissez-nous partir ! finit par crier Alex lorsqu'il réussit à retrouver sa voix.

– Nous vous avons rapporté votre appareil-photo, ajouta Sarah.

L'Araignée ne répondit pas. Mais il fit un pas dans leur direction et descendit une marche, puis une autre.

Manquant une fois de plus de dégringoler, Alex et Sarah dévalèrent précipitamment l'escalier.

Les marches de bois grinçaient sinistrement sous les pas de l'homme qui descendait lentement, calmement. Au moment où l'Araignée atteignait à son tour le sol de la pièce, un éclair l'illumina d'une lumière bleutée et, pour la première fois, Alex et Sarah virent son visage.

Ce bref instant de clarté leur révéla qu'il était vieux, plus vieux qu'ils l'avaient imaginé. Ils aperçurent des petits yeux ronds et brillants comme des billes de verre et une bouche mince, déformée par un sourire inquiétant.

– Nous… nous avons rapporté votre appareil, répéta Sarah regardant avec horreur l'Araignée s'approcher d'eux. Laissez-nous partir. S'il vous plaît…

– Je vais voir, dit l'Araignée d'une voix encore plus glaciale que ses yeux. Venez avec moi.

Ils hésitèrent. Mais comme il leur barrait le passage, ils n'avaient guère le choix.

Il les fit reculer jusqu'à l'établi, au fond de la pièce.

Arrivé là, il referma une grande main aux doigts décharnés sur le levier de l'étau, qu'il fit basculer d'un mouvement rapide. Le volet s'ouvrit. Il sortit l'appareil et l'examina.

– Vous n'auriez pas dû le prendre, articula-t-il lentement.

– Nous le regrettons, excusez-nous, dit Sarah.

– Nous pouvons partir maintenant ? demanda Alex en faisant un pas en direction de l'escalier.

– Ce n'est pas un appareil-photo ordinaire, reprit l'Araignée en les fixant de ses petits yeux brillants.

– Je sais, oui, laissa échapper Alex. Il fait des photos qui…

– Quoi ? coupa l'Araignée d'une voix dure. Vous avez pris des photos avec ?

– Seulement quelques-unes, balbutia Alex en se disant qu'il aurait mieux fait de se taire. Elles n'ont rien donné de bon. Vraiment rien…

– Vous savez donc ce qu'il a de spécial, dit l'Araignée en se déplaçant rapidement jusqu'au centre de la pièce.

– Il doit être simplement déréglé, mentit Alex en enfonçant ses mains dans les poches de son jean pour se donner une contenance.

– Non, il n'est pas déréglé. Il est maléfique.

L'Araignée avait prononcé ces étranges paroles d'une voix sourde, sans quitter Alex et Sarah des yeux. D'un geste de la main il désigna la table :

– Asseyez-vous là.

Sarah et Alex échangèrent un rapide regard. Puis, ils obéirent et allèrent s'asseoir sur le rebord du panneau de contre-plaqué, les muscles tendus, les yeux fixés sur l'escalier, dans l'espoir de sortir par là.

– Cet appareil est maléfique, répéta l'Araignée, à cause de moi.

– Vous êtes un inventeur ? demanda Alex en jetant un coup d'œil à Sarah, qui tortillait nerveusement une mèche de ses cheveux noirs.

– Je suis un savant, répondit l'Araignée. Ou plutôt, *j'étais* un savant. Je m'appelle Herder, le docteur Franck Herder. Pour mes recherches expérimentales, j'avais un associé. C'est lui qui a inventé cet appareil génial, qui, à l'origine, prenait des photos de l'avenir. Cela aurait dû lui permettre de faire fortune. Je dis bien *aurait dû*...

Il s'interrompit un instant, l'air songeur.

– Que lui est-il arrivé ? demanda Sarah. Il est mort ?

Le Dr Herder ricana.

– Non. Je lui ai volé son invention. J'ai volé l'appareil et tous ses plans. Je n'avais aucun scrupule, voyez-vous. J'étais jeune et avide d'argent. Tellement avide d'argent ! Voler pour faire fortune, cela ne m'embarrassait pas.

Il s'interrompit de nouveau en les dévisageant, comme s'il s'attendait à une réaction de leur part. Mais comme Alex et Sarah demeuraient silencieux, il poursuivit son récit.

– Mon associé, bien évidemment, ne s'attendait pas à ce que je lui vole cet appareil. Je l'ai eu par surprise ! Malheureusement, à partir de ce moment, c'est moi qui ai eu des surprises. Car, voyez-vous, mon associé était encore plus malfaisant que moi, beaucoup plus malfaisant.

Le Dr Herder eut une brève quinte de toux et se mit à faire les cent pas devant Alex et Sarah. Quand il reprit la parole, ce fut avec lenteur, l'air concentré, comme s'il revivait cette histoire pour la première fois depuis bien longtemps.

– Mon associé s'intéressait à la magie noire. À vrai dire, il faisait même mieux que de s'y intéresser : il y était passé maître. Comme il ne pouvait plus profiter de l'appareil que je lui avais volé, eh bien il a voulu se venger. Il lui a donc jeté un sort. À partir de ce jour, l'appareil ne s'est plus contenté de dévoiler l'avenir. Désormais, il le provoquait… et toujours de façon désastreuse.

Alex ne put s'empêcher de frissonner.

– Des gens sont morts à cause de cet appareil, reprit le Dr Herder avec un profond soupir. Des gens très proches de moi. J'ai tout perdu à cause de lui, mon travail, ma famille, tout. C'est ainsi que je me suis rendu compte de son pouvoir maléfique. Et j'ai encore découvert autre chose, quelque chose d'effrayant : cet appareil ne peut pas être détruit.

Il toussa et se racla bruyamment la gorge pour s'éclaircir la voix.

– Je me suis alors juré de garder le secret sur cet appareil et de me débrouiller pour lui enlever son pouvoir maléfique. Je n'ai pas encore réussi mais je suis déterminé à ce qu'il reste avec moi jusqu'à ce que j'apprenne à le contrôler.

Il cessa de parler, figé devant Alex et Sarah qu'il regardait sans les voir, comme perdu dans ses pensées.

Alex se remit rapidement debout et fit signe à Sarah d'en faire autant.

– Bon, eh bien… euh… je crois qu'il est temps pour nous de rentrer, dit-il en faisant un pas en direction de l'escalier. On regrette beaucoup de vous avoir causé des ennuis.

– Non ! s'écria le Dr Herder en se déplaçant rapidement de façon à leur barrer le passage. Je ne peux pas vous laisser partir. Vous en savez trop.

– Je ne pourrai jamais vous laisser repartir, dit le Dr Herder en croisant les bras sur sa poitrine, le visage soudain illuminé par la lumière bleutée d'un éclair.

– Mais nous ne dirons rien à personne, dit Alex en élevant instinctivement la voix. Je vous assure.

– Nous ne parlerons jamais de cet appareil, ajouta Sarah, les yeux agrandis par la peur.

Sans répondre, le Dr Herder fixait sur eux un regard menaçant.

– Vous pouvez nous faire confiance, reprit Alex, dont la voix tremblait légèrement.

– D'ailleurs, ajouta Sarah, si on en parlait, personne ne nous croirait.

– Assez de bavardages inutiles ! lança le Dr Herder d'un ton sec. Je me suis donné suffisamment de mal pour conserver le secret de cet appareil.

Un brusque coup de vent fit vibrer les fenêtres. À travers la vitre, le ciel paraissait aussi noir que si la nuit était tombée.

– Vous ne pouvez tout de même pas nous garder *pour toujours* ! s'écria Sarah terrorisée.

Des gouttes de pluie commencèrent à marteler les fenêtres.

Le Dr Herder dévisagea les enfants, l'un après l'autre, de ses petits yeux luisants, puis il haussa les épaules en soupirant.

– Je suis désolé, mais je n'ai pas le choix.

Il fit un pas vers eux.

Alex et Sarah échangèrent un regard angoissé. De l'endroit où ils se trouvaient, l'escalier leur paraissait à des kilomètres.

– Que… qu'est-ce que vous allez faire ? demanda Alex en criant pour couvrir un grondement de tonnerre.

– Je vous en prie ! supplia Sarah.

Le Dr Herder se déplaça soudain avec une surprenante rapidité. Tenant l'appareil d'une main, de l'autre il empoigna Alex par l'épaule.

– Non ! hurla Alex. Laissez-moi !

– Fichez-lui la paix ! cria Sarah.

Tout à coup, elle réalisa que le Dr Herder avait les deux mains occupées. « C'est peut-être ma seule chance », pensa-t-elle. Elle prit une profonde inspiration et bondit en avant.

Le Dr Herder poussa un cri de surprise quand Sarah réussit à lui arracher l'appareil en tirant de toutes ses forces.

Il lâcha l'épaule d'Alex pour tenter de récupérer son bien.

Sans attendre que le vieil homme ait le temps de réagir davantage, Sarah leva l'appareil à hauteur de ses yeux et le braqua sur lui.

– Non ! hurla-t-il. Ne faites surtout pas ça !

Le visage déformé par une expression horrifiée, il se jeta sur elle.

Il y eut une bousculade et soudain…

FLASH !

L'obscurité qui s'était installée dans la pièce fut déchirée par un éclair provenant de l'appareil.

Sarah hurla en direction d'Alex :

– Vite, on se sauve !

Trébuchant sur des boîtes de conserve et des bouteilles vides, Alex et Sarah se précipitèrent vers l'escalier.

La pluie tambourinait violemment contre les fenêtres. Le vent hurlait en frappant les vitres comme s'il allait les faire éclater.

Ils entendaient derrière eux les hurlements d'effroi du Dr Herder.

– C'est nous qui avons été photographiés, ou lui ? demanda Alex.

– C'est lui. Dépêche-toi !

Le vieil homme hurlait comme un animal blessé, sa voix couvrant le martèlement de la pluie et le mugissement du vent contre les fenêtres.

Le souffle court, Alex et Sarah arrivèrent au pied des marches. Un violent coup de tonnerre les fit s'arrêter et se retourner.

– Eh ! s'exclama Alex.

À sa profonde stupéfaction, le Dr Herder ne les poursuivait pas. Et il ne criait plus.

Mis à part l'orage, on n'entendait plus rien.

– Qu'est-ce qui se passe ? haleta Sarah.

À cause de la pénombre qui régnait dans la pièce, Alex mit un moment à découvrir une forme sombre étendue sur le sol devant l'établi. C'était le Dr Herder.

– Qu'est-ce qui lui est arrivé ? s'écria Sarah, retrouvant son souffle avec peine.

Les mains toujours crispées sur l'appareil-photo, elle fixait avec stupeur la silhouette du vieil homme qui gisait sur le sol.

– Je ne sais pas, répondit Alex à voix basse.

Lentement, à contrecœur, il se dirigea vers le Dr Herder. Sarah, qui le suivait de près, poussa un cri d'effroi lorsqu'elle finit par distinguer le visage de l'homme étendu sur le dos.

Les yeux exorbités, la bouche ouverte en une expression d'intense terreur, il semblait les regarder fixement. Mais il ne pouvait plus les voir.

Le Dr Herder était mort.

– Que… qu'est-ce qui s'est passé ? balbutia Sarah en se détournant pour ne plus voir cet horrible visage, cette expression torturée.

– Je crois qu'il est mort de peur, répondit Alex d'une voix sourde, en frissonnant des pieds à la tête.

– Hein ? De peur ?

– Il savait que cet appareil maléfique provoque des catastrophes. Alors, quand il a compris qu'il avait été pris en photo, eh bien je pense qu'il a été terrorisé… terrorisé au point d'en mourir.

– Je voulais seulement détourner son attention, s'écria Sarah. Je voulais seulement nous donner une chance de nous échapper. Jamais je n'aurais cru que…

– La photo ! l'interrompit Alex. Il faut voir ce qu'il y a sur la photo.

Sarah retourna l'appareil. La photo s'y trouvait encore, à demi engagée hors de la fente. Alex la sortit complètement, d'une main tremblante. Tous deux se penchèrent pour l'examiner.

– Eh bien, ça alors ! s'exclama Alex.

La photo montrait le Dr Herder étendu sur le dos, les yeux exorbités, la bouche ouverte en une expression d'intense terreur.

L'appareil avait fait une nouvelle victime. Une victime qui ne s'en relèverait pas, cette fois. Une victime définitive.

– Qu'allons-nous faire ? demanda Sarah d'une voix tremblante.

– D'abord, il faut remettre l'appareil à sa place, dit Alex.

Il le prit des mains de Sarah et alla le déposer dans le petit placard encastré dans le mur. Quand le volet se fut refermé, il s'assura que le levier de l'étau était bien remis en place et poussa un soupir de soulagement. Il se sentait beaucoup mieux à l'idée de s'être enfin débarrassé de cet appareil.

– Maintenant, on rentre chez nous et on appelle la police, dit-il.

Deux jours plus tard, par un bel après-midi ensoleillé, les quatre amis arrêtèrent leurs bicyclettes au bord du trottoir devant la pelouse broussailleuse de la maison Coffman. Même en plein jour, les grands chênes qui entouraient la vieille bâtisse la maintenaient dans l'ombre.

— Alors, vous n'avez pas parlé à la police de l'appareil-photo ? demanda Arthur, les yeux levés vers la fenêtre de la façade par laquelle ils étaient entrés la première fois.

— Non. Ils ne nous auraient pas crus, répondit Alex. Et puis, il faut que cet appareil reste définitivement dans sa cachette. Définitivement ! J'espère que personne ne le découvrira.

— On a simplement raconté à la police qu'on était entrés dans cette maison pour nous mettre à l'abri de la pluie, ajouta Sarah. Et qu'on a trouvé le corps dans la pièce du sous-sol.

— De quoi il est mort, l'Araignée ? demanda Michael, les yeux fixés sur la maison.

— Pour la police, il s'agit d'un arrêt cardiaque, répondit Alex. Mais nous, nous savons quelle est la véritable cause de sa mort.

— Je n'arrive toujours pas à croire qu'un vieil appareil-photo puisse être aussi dangereux, soupira Arthur.

— Eh bien moi, j'y crois, répliqua Alex. J'en suis même convaincu.

— Partons d'ici, intervint Michael en faisant faire demi-tour à son vélo. Cet endroit me donne la chair de poule.

Il se redressa sur son guidon pour appuyer sur les pédales et s'éloigna, bientôt suivi par les trois autres.

À peine venaient-ils de disparaître au tournant de la rue que deux silhouettes sortirent de la maison Coffman, par la porte de derrière. Joe Chaland et Tom Ward coururent à travers les hautes herbes et ne s'arrêtèrent qu'en arrivant sur le trottoir.

– Ces crétins sont vraiment nuls ! ricana Joe. L'autre soir, ils ne nous ont même pas vus ! Ils ne se sont pas rendu compte qu'on les observait par les fenêtres du sous-sol.

– Ouais, vraiment nuls ! s'esclaffa Tom.

– Quand je pense qu'ils s'imaginaient pouvoir nous cacher cet appareil ! reprit Joe.

Il tourna et retourna l'appareil dans tous les sens pour l'examiner.

– Prends-moi en photo, demanda Tom. Allez, vas-y. Il faut l'essayer.

– D'accord, dit Joe en approchant le viseur de ses yeux. Un petit sourire !…

Un déclic. Un flash. Un léger bourdonnement.

Joe retira la pellicule qui venait de faire son apparition. Et les deux garçons se penchèrent sur les formes et les couleurs qui se développaient peu à peu, impatients de savoir ce qui allait en sortir.

FIN

Chair de poule ®

1. La malédiction de la momie
2. La nuit des pantins
3. Dangereuses photos
4. Prisonniers du miroir
5. Méfiez-vous des abeilles !
6. La maison des morts
7. Baignade interdite
8. Le fantôme de la plage
10. La colo de la peur
11. Le masque hanté
12. Le fantôme de l'auditorium
14. Le pantin maléfique
16. Le fantôme d'à côté
17. Sous-sol interdit
20. Souhaits dangereux
23. Le retour du masque hanté
29. Le fantôme décapité
32. Les fantômes de la colo
34. Comment tuer un monstre ?
35. Le coup du lapin
36. Jeux de monstres
40. Les vers contre-attaquent
42. La colo de tous les dangers
44. Abominables bonshommes de neige
45. Danger, chat méchant !
47. L'école hantée
51. Le jumeau diabolique

52. Un film d'horreur
57. Le manoir de la terreur
60. Un loup-garou dans la maison
61. La bague maléfique
73. La nuit des disparitions
74. Le fantôme du miroir